Kobieta bez winy i wstydu

Wojciech Eichelberger

Kobieta
bez winy i wstydu

Wydawnictwo Do

Wydawca
Marek Ryćko

Redakcja
Anna Mieszczanek
Marek Ryćko

Projekt okładki
Wojciech Eichelberger

Fotografia na okładce
Inka Gruchalska

Opracowanie graficzne okładki
Maciej Kałkus
Studio 4

Skład systemem T_EX
Marek Ryćko
Aleksander Kasicki

Druk i oprawa
Drukarnia Interdruk

ISBN 83-85586-03-2

Wydawnictwo Do
Skrytka pocztowa 44
00-950 Warszawa 1

www.do.com.pl, e-mail: do@do.com.pl

Świętej Ladacznicy
– Autor

Spis treści

Od Autora

Książka ta powstała dzięki inspiracji i pracy niezliczonych istot. Tak niewiele z nich mogę tutaj przywołać z imienia.

W pierwszej kolejności dzięki Tannie Jakubowicz, która zaproponowała mi cykl wykładów w EKO-OKO. Dzięki Marii Malewskiej, z którą wcześniej dyskutowaliśmy zarys telewizyjnego programu o kobietach.

Dzięki Dorocie Powałce i Basi Zieleńskiej, które ogromnym nakładem pracy przygotowały surowy tekst spisany z taśmy i dopingowały do dalszej pracy.

Dzięki znakomitemu wydawcy tej książki, Markowi Ryćko, który z anielską cierpliwością pozwalał mi nanosić coraz to nowe poprawki na gotowe już strony tekstu i zadawał wiele trudnych pytań.

Dzięki Ani Mieszczanek, która krytycznie przejrzała i zredagowała całość i zaniepokoiła się tym, że książka „za bardzo pałęta się wokół absolutu".

Wreszcie dzięki wszystkim kobietom napotkanym w moim życiu prywatnym i zawodowym, które pozwoliły mi poznać swoje losy, swoje aspiracje i wspaniałe możliwości. Szczególnie wiele zawdzięczam w tej sprawie kobietom mi najbliższym: mojej matce Irenie i mojej żonie Joannie.

Dziękuję wszystkim.

Wojtek Eichelberger
Warszawa, 11 marca 1997 r.

Od Wydawcy

Teksty przedstawione w tej książce są zapisem cyklu pięciu wykładów, jakie przeprowadził Autor w Ośrodku Edukacji Ekologicznej EKO-OKO w Warszawie na przełomie 1992 i 1993 roku.

Kiedy Autor pracował nad doprowadzeniem tej książki do obecnej postaci, miałem przyjemność dziesiątki razy spotkać się z Nim na rozmowach, wspólnej pracy i porannej kawie. Cieszę się, że mogłem towarzyszyć Mu w tworzeniu tak pięknego tekstu.

Dziękuję Ci, Wojtku.

Z konieczności, z potrzeby i z przyjemnością przeczytałem tę książkę wielokrotnie i przy każdym czytaniu odkrywałem dalsze poziomy głębi, których wcześniej nie dostrzegłem.

Wiedza, którą wyniosłem z tej książki już podczas jej dojrzewania, okazała się być niezwykle ważna dla mnie. Wiele zmieniło się w moim życiu po jej przeczytaniu, wyciągnięciu wniosków i wprowadzeniu ich w czyn.

Z radością i pełnym przekonaniem polecam tę książkę zarówno kobietom, jak i mężczyznom.

Marek Ryćko
Warszawa, 17 marca 1997 r.

Kusicielka
Co się zdarzyło pod rajskim drzewem?

Nie wiem, co się zdarzyło pod rajskim drzewem. Jeśli myślicie, że wam powiem, jak to było na pewno, zapewniam, że tak nie będzie. Ponieważ jednak czuję się upokorzony wieloletnim obcowaniem z równie powszechną, co prymitywną interpretacją rajskiego mitu, chciałbym podzielić się z wami moimi wątpliwościami, a także zaprosić was do reinterpretacji przekazu o rajskim drzewie.

Najpierw jednak muszę powiedzieć parę zdań o moim religijno-światopoglądowym rodowodzie, bo to może być ważne podczas rozmowy na tematy tak zasadnicze. Jestem psychologiem i psychoterapeutą. Korzenie mojego światopoglądu – ujmując rzecz chronologicznie – tkwią w katolicyzmie, zaś jego pień i korona wyewoluowały w kierunku buddyzmu. Dzięki temu zyskałem, jak sądzę, pożyteczny dystans wobec tradycji i mitologii chrześcijańskiej. Z drugiej strony moje późniejsze buddyjskie doświadczenie domaga się głębszego zrozumienia nieświadomie i bezkrytycznie pochłanianych – wraz z mlekiem matki – katolickich treści i obrazów.

Jakiś czas temu, razem z Marią Malewską, upojeni sukcesem cyklu *Być tutaj*, złożyliśmy telewizji propozycję programu o kobietach. Rozmowy z telewizją przedłużały się, a we mnie temat się gotował, postanowiłem więc podzielić się moimi przemyśleniami w cyklu spotkań-wykładów, a przy okazji poddać je publicznemu osądowi. Cieszę się, że na sali są nie tylko kobiety, ale i paru mężczyzn. Myślę, że to dobry znak.

Jako motto naszych spotkań wybrałem cytat z książki Frit-
jofa Capry *Punkt zwrotny*:

Przez ostatnie 3000 lat cywilizacja zachodnia i poprzedzające
ją cywilizacje, jak również większość innych kultur, opierały się na
systemach filozoficznych, społecznych i politycznych, w których męż-
czyźni, za sprawą swej siły, bezpośredniego nacisku lub rytu-
ału, a także tradycji, prawa, języka, obyczaju i ceremoniału,
wychowania i podziału pracy decydują o tym, jaką rolę mają
kobiety odgrywać, a jakiej nie, przy czym płeć żeńska jest wszę-
dzie klasyfikowana niżej niż męska.

Chcę się zająć tym fragmentem owego systemu dominacji i represji, który wiąże się z tworzeniem i podtrzymywaniem stereotypu kobiety, pozostającego w dramatycznej często
sprzeczności z jej archetypem.

Najważniejszym powodem, dla którego zająłem się tym
trudnym tematem, jest potrzeba spłacenia przynajmniej części
mojego własnego, jak i w ogóle męskiego, karmicznego długu
wobec kobiet i przyjścia im z pomocą. W swojej pracy prze-
konuję się wciąż na nowo, że cierpienie w życiu większości
kobiet bierze swój początek z bezkrytycznego przyjmowania
i uznawania za prawdę mitów i stereotypów, którymi nasycona
jest nasza kultura i religijność, nasze koncepcje pedagogiczne
i obyczajowość.

Będę sięgał do jungowskiej tradycji rozumienia mitów
i symboli, zainspirowany w szczególności lekturami książek Jo-
sepha Campbella *The Power of Myth* (*Potęga mitu*) a także *The*
Hero with a Thousand Faces (*Bohater o tysiącu twarzy*). Prawdę
mówiąc to właśnie odwaga, inteligencja i wspaniała intuicja
Campbella sprawiły, że decyduję się na to karkołomne przed-
sięwzięcie.

*

W dzisiejszej rozmowie chcę zakwestionować jednoznacznie negatywną interpretację roli Ewy w tym, co się wydarzyło

w Raju i doprowadzić do – choćby częściowej – jej rehabilitacji. Widać gołym okiem, na jak ryzykowną wyprawę się tutaj wybieramy.

W micie o Adamie i Ewie mówi się, że Bóg stworzył człowieka na wzór i podobieństwo swoje. Człowiekiem tym był Adam, którego szybko i jednoznacznie uznano za mężczyznę, co doprowadziło do nieuniknionej konkluzji, że Bóg też jest mężczyzną. Jesteśmy więc skłonni wyobrażać sobie Boga jako sędziwego mężczyznę z siwą brodą, który miał niezrozumiały kaprys stworzenia kogoś na własny wzór i podobieństwo, a więc „wyposażenia" go (oprócz innych atrybutów) w tę samą płeć.

Czy Adam był mężczyzną?

Taka interpretacja musi budzić wątpliwości. Przypisywanie Bogu jakiejkolwiek płci jest – zdemaskowaną zarówno przez historyków, jak i mistyków – socjotechniczną manipulacją, mającą na celu zapewnienie dominującej pozycji jednej z połówek ludzkości. Ta manipulacja dokonała się zresztą w erze głęboko przedchrystusowej. Mniej więcej 3000 lat później powstało w Ameryce liczące się feministyczne ugrupowanie, które uparcie wyraża się o Bogu per „ona" i stara się przekonać wszystkich, że Bóg jest kobietą.

Myślę, że jedno i drugie urąga Bogu jako takiemu – nie uwzględnia Jego pełni i doskonałości. Przypisując Bogu płeć, redukujemy Go bezkrytycznie do czegoś połowicznego. Dlaczego tak trudno nam uznać, że Bóg nie ma żadnej płci – że jest tym, co przekracza to tak prozaiczne rozróżnienie, bowiem przekracza wszelkie podziały i wszelki dualizm. Na tym właśnie przecież zasadza się Jego boskość.

Płeć Boga

Jeśli przyjmiemy powyższą tezę, którą zresztą mistycy i mistyczki różnych religii potwierdzają swoim żywym doświadczeniem, wypada zadać sobie pytanie: jakiej płci był Adam? Czy miał jakąkolwiek płeć? Kto to w ogóle był Adam? Czy na pewno miał postać ludzką, tak jak to sobie wyobrażamy? A może Adam był na przykład – jak sugeruje słynny uczony i myśliciel Konrad Lorenz – obojnaczą komórką, która jest nieśmiertelna w tym sensie, że rozmnaża się przez podział, produkując w nieskończoność kolejne, identyczne egzemplarze. Pomijając sens mistyczny – w który nie chcę się tutaj wdawać – prymitywna i niewyspecjalizowana komórka obojnacza jest nieśmiertelna.

Jak pamiętamy, pierwsze dwie postacie stworzone przez Boga były nieśmiertelne. Mistycy twierdzą, że w swej istocie – wolnej od egocentrycznego złudzenia odrębności – nieśmiertelni jesteśmy wszyscy. Jest więc bardzo prawdopodobne, że to, co Adam i Ewa utracili w wyniku zjedzenia rajskiego jabłka, nie było nieśmiertelnością ciała, lecz świadomością nieśmiertelności w jej rozumieniu duchowym. Jeśli jednak upieramy się przy nieśmiertelności, jako atrybucie określonego bytu materialnego, to jedynym organizmem, który go posiada, jest obojnacza komórka. Rozmnaża się ona przez podział i jest wciąż ta sama. Można powiedzieć, że jest ona ciągłością określonego bytu materialnego na przestrzeni dowolnego czasu.

Dlaczego druga płeć?

Ale wróćmy do tego, co działo się w Raju. O dziwo, Adam trochę się nudził i cierpiał z powodu samotności. Wtedy Bóg, kierowany zapewne współczuciem, postanowił stworzyć Ewę. Dlaczego Adamowi, temu doskonałemu dziełu, stworzonemu na wzór i podobieństwo swoje, Bóg zdecydował się przydać kogoś – że tak powiem – z innej bajki? Co się właściwie wydarzyło? Czy Bóg miał w tym jakiś zamysł, czy może uznał swoje dzieło za niepełne i postanowił dodać do niego konieczne uzupełnienie? Skąd się wzięła potrzeba zaistnienia drugiej płci? To są istotne pytania.

Zwróćmy uwagę, że – zgodnie z treścią mitycznego przekazu – druga płeć powstała z żebra pierwszego osobnika. Przypomina to procedury nazywane we współczesnej biologii klonowaniem. W odpowiednich warunkach z frakcji komórek na przykład marchewki-dawcy, powstaje cała marchewka, dokładnie taka sama jak dawca. Skoro jednak z żebra Adama powstała

Ewa, to nie mieliśmy tu do czynienia z procedurą klonowania, ponieważ gdyby było to klonowanie, powstałby osobnik tej samej płci.

Wynikałoby z tego, że z jakichś istotnych i głębokich powodów, osoba odmiennej płci stała się konieczna. I tu znowu, za Lorenzem, odwołać się możemy do interpretacji komórkowej. Otóż w procesie ewolucji komórki obojnacze specjalizują się i muszą podejmować bardzo specyficzne funkcje, tworząc bardziej złożone organizmy. Jedną z konsekwencji tego procesu jest polaryzacja płciowa. Muszą powstać dwa różne organizmy: jeden płci męskiej, drugi – żeńskiej. Potem powstanie każdego nowego organizmu może się odbyć tylko poprzez połączenie odpowiednich fragmentów organizmów rodziców. Jak wiemy, wszystkie istoty bardziej złożone muszą rozmnażać się w ten sposób.

Lorenz zauważa, że historia ewolucji komórek doskonale pasuje do mitycznego przekazu. Utrata fizycznej nieśmiertelności to cena, jaką życie zapłaciło za seks. Jest oczywiste, że gdy między komórkami dochodzi do „seksu", ich potomstwo nie jest identyczne z żadnym z rodziców. Staje się wypadkową dwóch pierwotnych komórek. Koniec nieśmiertelności.

Pojawia się też wiele korzyści – specjalizacja, wyższy poziom rozwoju, a także odsunięcie zagrożenia degeneracji i podtrzymanie szansy dalszej ewolucji. Wszystko to nie mogłoby mieć miejsca, gdyby w nieskończoność reprodukowany był ten sam genotyp.

W programie o seksie z telewizyjnego cyklu *Być tutaj* zastanawialiśmy się, w jaki sposób powstali kobieta i mężczyzna i skąd ta ogromna siła przyciągania, którą odczuwamy jako nieskończone pragnienie powrotu do pierwotnej jedności. Zaproponowaliśmy następującą sytuację: arkusz bristolu podziurkowany był tak, że linia podziału przebiegała jak w puzzlach.

Cena za seks

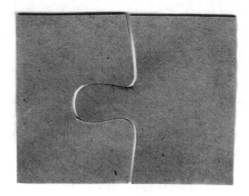

Ja uchwyciłem jedną połowę, a moja partnerka drugą. Szarpnęliśmy i ja zostałem z wypustką, a ona z zagłębieniem. Realizator uznał tę scenę za niesmaczną i niemoralną. Na szczęście, po dłuższej dyskusji, dopuszczono ją do montażu. Potem chcieliśmy sparafrazować krótko to, co się wydarzyło w Raju: ja miałem moją część z wypustką przymierzyć i na ten widok okropnie się zawstydzić. Moja partnerka miała zrobić to samo ze swoim zagłębieniem. Na to realizator już nie wyraził zgody. Niewinny „seks" komórkowy okazał się pornografią.

Ale wróćmy do początku. Z jakichś powodów – Bogu tylko znanych – pierwsza istota miałaby zostać podzielona na dwie części: jedną z wypustką i drugą z zagłębieniem. Wypustka i zagłębienie są przy tym podziale konieczne. Służą do wymiany wyspecjalizowanych komórek rozrodczych. Gdyby ewolucyjny arkusz przerwał się po linii prostej, doprowadziłoby to tylko do prostego podziału komórki. Nie uruchomiłby się cały proces przemiany i boskie dzieło stworzenia człowieka być może nie mogłoby zostać dokończone. Dlaczego więc Ewa miałaby powstać z żebra Adama? Campbell twierdzi, że ten fragment mitu wskazuje na to, iż na początku Ewa była częścią Adama, jego aspektem. To zgadzałoby się z naszą tezą, że pierwotnie Adam był istotą bez płci lub też dwupłciową i w którymś momencie nastąpiło wyodrębnienie z obojnaczego Adama aspektu zwanego Ewą, czyli kobiety.

Przypuszczenie, że Ewa może być wyodrębnionym aspektem Adama, stawia ją w zupełnie innym świetle. Okazuje się bowiem, że nie jest ona jakimś rozrywkowym, czy pomocniczym dodatkiem do mężczyzny, jak sugeruje katechetyczny przekaz, tylko równoprawnym aspektem jednolitego i doskonałego boskiego dzieła, które następnie z woli Stwórcy zostało podzielone na dwie części. Nawiasem mówiąc, nie słyszałem, żeby ktoś trzymający się twardo litery tego mitu zapytał, dlaczego Stwórca nie stworzył Adamowi do towarzystwa drugiego Adama, tylko istotę wyposażoną w macicę, jajniki, pochwę i piersi, gotową do seksu i rodzenia dzieci. Widać wyraźnie, że fundamentaliści uwikłali kobietę w sytuację bez wyjścia, w której oskarża się ją i karze za to, do czego została przez Boga stworzona.

Nic dziwnego, że tak wiele kobiet żyje w świadomym – a częściej nieświadomym – przeświadczeniu, że nie ma dla nich miejsca na tym świecie i że są czymś w rodzaju boskiej pomyłki.

Odważmy się pomyśleć, że mężczyzna i kobieta pojawili się na tym świecie dopiero wtedy, gdy stworzona została Ewa. Równałoby się to stwierdzeniu, że Adam, jako osobnik płci męskiej, pojawił się w tym samym momencie co Ewa, czyli że mężczyzna i kobieta zostali stworzeni jednym aktem Stwórcy. Zwróćmy uwagę, że taki ewentualny przebieg wydarzeń kłóciłby się z powszechnym poglądem uznającym seks za grzech. Jeśli uznamy, że ów podział na dwa aspekty nastąpił za sprawą Pana Boga – a któż inny mógłby tego dokonać – znaczyłoby to, że seks jest immanentną częścią boskiego planu, że seks jest dziełem Stwórcy. Dziełem Stwórcy są bowiem dwie płcie, które w sposób naturalny, ze względu na to pierwotne – zapewne bolesne – rozdzielenie, mają tendencję dążenia ku sobie. W ten sposób powszechna i naiwna interpretacja grzechu pierworodnego, jako skutku seksualnego uwiedzenia Adama przez Ewę, tak głęboko zakorzeniona w naszych umysłach, mogłaby wreszcie odejść do lamusa.

Seks jest dziełem Stwórcy

Wiem, że wyważam otwarte drzwi i mówię truizmy, które dla światłych interpretatorów mitu o Adamie i Ewie są oczywiste. Tu i ówdzie możemy o tym przeczytać albo usłyszeć. Ale dlaczego tak rzadko i tak cicho? Skąd ta cenzura? Dlaczego popularna interpretacja mitu jest tak naiwna, a zarazem tak nieprzychylna kobiecie? Odpowiedź jest w swej prostocie wręcz marksistowska: popularna interpretacja rajskiego mitu jest poręcznym i niezastąpionym narzędziem służącym represjonowaniu i utrzymywaniu w zależności od mężczyzn kobiecej połowy ludzkości.

Zastanówmy się raz jeszcze, w jaki sposób mógł się dokonać podział na dwie płcie i co składa się na każdą z oddzielonych od siebie części. Sprawa nie jest taka prosta, jak sugerowałoby telewizyjne ujęcie z arkuszem bristolu. Nie jest tak, że w pierwotnej jedności po prawej stronie był mężczyzna, a po lewej kobieta. Gdy uważniej przyjrzymy się relacji części do całości – tak jak to od tysiącleci czynili mistycy, a ostatnio także fizycy, biochemicy i badacze chaosu – zobaczymy, że każdy – nawet najmniejszy – fragment posiada wszystkie atrybuty całości, na którą się składa. Część nie jest różna od całości, całość nie jest różna od części.

Kobieta jest mężczyzną, mężczyzna jest kobietą

Jeżeli tak, to zarówno kobieta, jak i mężczyzna, w każdej swojej części, w każdym fragmencie są jednolicie nasyceni męskością i kobiecością. Oczywiście nastąpiła polaryzacja, która spowodowała, że w jednej z tych części zaczął dominować aspekt męski, a w drugiej kobiecy. Dobrą analogią jest tu magnes, który zawsze ma dwa bieguny. Jeśli podzielimy większy magnes na dwie części, otrzymamy dwa identyczne magnesy, które będą się przyciągać albo odpychać, w zależności od tego, którą stroną się do siebie zwrócą. Na podobnej zasadzie granice tego co męskie i kobiece są w każdym z nas bardzo płynne; każda kobieta jest zarówno kobietą jak i mężczyzną, a każdy mężczyzna jest zarówno mężczyzną jak i kobietą. Żeby się o tym przekonać, wystarczy przez kilka tygodni brać niewielkie dawki hormonów. Okazuje się wtedy, że płeć, której jesteśmy pewni jako czegoś danego nam raz na zawsze, zanika i przeistacza się w swoje przeciwieństwo. Na poziomie fizjologii i struktury uzyskujemy więc klarowne potwierdzenie tego, że obie płcie są częścią tej samej całości, choć na szczęście – jak mówią Francuzi – istnieje między nimi ta jedna mała różnica.

Możemy więc pokusić się o to, aby mitowi o narodzinach Adama i Ewy nadać inny wymiar. Wymiar relacji nie tylko między dwoma osobnikami, dwoma bytami, ale relacji wewnętrznej, gdzie aspekt męski i żeński zostały wyodrębnione poprzez sam fakt, że jeden z nich dominuje.

Wewnętrzna kobieta, wewnętrzny mężczyzna

Psychologicznie rzecz biorąc rozwój mężczyzny polega – od pewnego momentu – na budzeniu swojego aspektu żeńskiego. Natomiast rozwój kobiety – w jej dojrzałym życiu – polega na budzeniu aspektu męskiego. W ten sposób również w naszym wewnętrznym życiu dążymy do jedności, do dopełnienia.

Mężczyzna i kobieta poszukują się w życiu i spotykają po to, aby się od siebie wzajemnie uczyć. Mężczyzna spotyka kobietę po to, żeby uczyć się od niej kobiecości, a kobieta spotyka mężczyznę po to, aby uczyć się od niego męskości.

Jeśli chcemy wyobrazić sobie, jak to może wyglądać, warto odwołać się do znanego symbolu jin-jang, dwóch splecionych w płaszczyźnie koła ryb. Każda z nich zapełnia taką samą ilość wspólnej przestrzeni i obie tworzą całość. Jedna jest biała, a druga czarna, ale jedna ma białe oczko, druga oczko czarne.

Biały reprezentuje jang, czyli to, co w koncepcji taoistycznej nazywa się elementem męskim. Czarny reprezentuje jin, czyli to, co nazywamy elementem kobiecym. Uderzające, jak bardzo harmonijna i symetryczna jest relacja męskiego i żeńskiego. Jak bardzo inna od dominującej postawy Adama wobec Ewy.

Samotność Adama

Czas już rozważyć stan umysłu Adama, a potem stan umysłu Adama i Ewy, zanim zdążyli zjeść zakazany owoc. Stan umysłu Adama jest zastanawiający. Z jakiego powodu ktoś stworzony przez Boga na wzór i podobieństwo Jego samego, a więc uczestniczący w boskiej jaźni, wręcz stopiony z nią, miałby czuć się samotny i znudzony? Wprawdzie w raju rosło Drzewo Wiadomości Dobrego i Złego, ale owoc rozróżnienia nie został przecież jeszcze skosztowany.

W interpretacji jogicznej, z którą zetknąłem się czytając słynną autobiografię Yoganandy, Drzewo Wiadomości Dobrego i Złego reprezentuje ten stopień rozwoju centralnego układu nerwowego, na którym pojawia się samoświadomość. Drzewo ze swoją koroną, pniem i korzeniami to schematyczny obraz naszego układu nerwowego: mózg, rdzeń, rozgałęzienia krzyżowe. Zjedzenie owocu to uzyskanie dostępu do czegoś, co znajduje się wysoko i jest ukoronowaniem istnienia drzewa, zawiera w skondensowanej formie całą jego energię. Dzięki ewolucyjnym przekształceniom i przyjęciu pionowej postawy centralny układ nerwowy człowieka osiąga zdolność do kanalizowania energii tak potężnej, że staje się świadomy sam

Iluzja odrębności

siebie i w konsekwencji ulega iluzji własnego, odrębnego istnienia. To tak, jakby przewód elektryczny, który rozgrzał się do czerwoności pod wpływem wielkiej energii, którą przewodzi, uznał, że zaczął świecić *własnym* światłem.

Lama buddyjski Trungpa Rinpocze, w swojej książce *Cutting through Spiritual Materialism* (*Przedzieranie się przez duchowy materializm*) porównuje to, co się stało po zjedzeniu owocu, do sytuacji ziarnka piasku na pustyni, które nagle uzyskuje tak wiele energii, że zaczyna wirować i tym samym wyodrębniać się z oceanu nieruchomych ziarenek, choć w istocie pozostaje nadal drobniutkim, identycznym z pozostałymi, fragmentem niezmierzonej pustyni.

Kto zaczął?

Czyżby więc Adam zaczął wirować za mocno, zanim jeszcze Ewa poczęstowała go jabłkiem? Czyżby to on pierwszy popełnił grzech rozróżnienia? To by trochę tłumaczyło jego zaskakujące odczucie samotności i zastanawiającą podatność na perswazję Ewy. Ale porzućmy tę rewolucyjną tezę i uznajmy, że póki owoc nie został zjedzony, nasi prarodzice nie mieli świadomości swego odrębnego istnienia.

Było to istnienie rajskie, niewyodrębnione z pola siły Stwórcy. Beztroskie, wolne od samoświadomości, a więc też wolne od egzystencjalnego cierpienia.

Czyż więc można ich winić za skosztowanie owocu, skoro byli tak bezgranicznie niewinni, zanim to zrobili?

Czy w niewinnym umyśle Ewy, pozostającej w jedności z Bogiem, mogła w ogóle powstać myśl o posłuszeństwie czy nieposłuszeństwie? Na pewno nie. Wygląda więc na to, że owoc samoświadomości musiał pojawić się w umysłach tak wysoko rozwiniętych istot jak Adam i Ewa sam z siebie, a nie na skutek czyjegokolwiek nieposłuszeństwa. Twierdzę, że tu dopiero nadszedł czas prawdziwej próby – gdy, wraz z pojawieniem się samoświadomości, po raz pierwszy pojawiła się możliwość wyboru, a więc odpowiedzialność. Próba polegała na tym, co Adam i Ewa z owocem samoświadomości zrobią. Czy go zjedzą, czyli uznają za swoją własność, czy go ofiarują Stwórcy? Zgodnie z mitycznym przekazem to właśnie Ewa pierwsza zdecydowała się uznać ten owoc za swój. Bóg jeden wie, czy to prawda.

Czyj jest owoc?

Kim wobec tego był wąż, który skłonił Ewę do zjedzenia jabłka? W interpretacji jogicznej wąż jest symbolem energii kundalini, wspinającej się po pniu kręgosłupa i nieuchronnie dążącej do korony mózgu. W swej wędrówce ku górze energia kundalini musi wydać owoc samoświadomości. Czyżby więc Bóg wybrał Ewę, by dokończyć swojego dzieła i sprawić, by życie mogło zacząć się odradzać? Wszystko to uwalniałoby Ewę przynajmniej od podejrzeń o grzech pychy i nieposłuszeństwa. Ale to ona sprowadziła na złą drogę Adama! – wykrzykną wszyscy. Jeśli nawet – to kto powiedział, że namawiający jest bardziej winny niż ten, który dał się namówić? Dlaczego Adam uległ tak łatwo i nie potrafił

Kto winien?

obronić za siebie i za Ewę ich szczególnego i prawdziwego związku ze Stwórcą? Sam Bóg zajął jasne stanowisko w tej sprawie, wypędzając z Raju zarówno Ewę, jak i Adama. Ale wygląda na to, że większość mężczyzn i wiele kobiet podejrzewa w tym miejscu Boga o zastosowanie niesprawiedliwej zasady „odpowiedzialności zbiorowej", krzywdzącej biednego, naiwnego Adama.

Ceną, jaką płacimy za przywłaszczenie sobie przez naszych prarodziców owocu samoświadomości, jest pojawienie się rozróżniającego umysłu, który oddzielił nas od Stwórcy, wyodrębnił z jednolitej, wszechogarniającej przestrzeni istnienia i skazał na wieczne, samotne poszukiwanie utraconego Raju, czyli podejmowanie ciągle od nowa wysiłku transcendencji. W ten sposób Ewa wespół z Adamem doprowadzili do tego, że człowiek stał się takim, jakim go znamy.

O ile bowiem nie możemy być do końca pewni, że tym co nas, ludzi, odróżnia od zwierząt, jest zdolność do myślenia, o tyle mamy pewność, że spośród wszystkich zwierząt człowiek jest jedynym gatunkiem zdolnym do tworzenia religii, jedyną istotą skazaną na poszukiwanie samej siebie.

Bóg się bawi

Ci, którzy patrzą na świat z punktu widzenia mistycznego wglądu przekraczającego rozróżnienia, nazwy i koncepcje, twierdzą, że od momentu zjedzenia owocu z Drzewa Wiadomości Dobrego i Złego – jak to zgrabnie ujął Allan Watts w swojej książce *Tabu of Knowing who you are* (*Tabu poznawania samego siebie*) – Bóg sam ze sobą bawi się w chowanego. Dodajmy, że Bóg sam siebie zaklepuje, gdy jakiś człowiek doświadcza tego, co zwane jest przebudzeniem lub oświeceniem.

Jeśli więc chcemy sądzić Ewę, to najpierw każdy musi sam w swoim sercu rozstrzygnąć odpowiedź na dwa pytania. Po pierwsze: czy Ewa była nieposłuszna, czy też może, nie wiedząc o tym, została zaproszona do zabawy? Po drugie: czy jest jej wdzięczny za to, że mógł pojawić się na tym świecie w ludzkiej formie, skazany na zabawę w chowanego ze Stwórcą?

*

głos z sali: Wyjaśnij niszczący aspekt kobiety.

Wojciech Eichelberger: Wiąże się on z takim działaniem, które zaokrągla kanty, ale i kwestionuje skończone formy, rozmywa, rozkłada. Na przykład rdza, wilgoć, woda, gnicie, fermentacja, to fizyczne i biologiczne przykłady procesów, którymi kobiecy aspekt natury posługuje się w dziele przygotowywania miejsca i pokarmu dla nowego życia. Niszczone jest wszystko, co stare, nieużyteczne, nieprzydatne. Zwróćmy uwagę, że to, co jawi nam się jako niszczenie, jest w gruncie rzeczy przejawianiem się życia jako takiego.

Niszczący aspekt kobiety

Mężczyźni częściej są kolekcjonerami, bardziej niż kobiety przywiązują się do owoców swojej pracy, własnego myślenia, pomysłów, idei czy ideologii, których bronią zażarcie w nie kończących się wojnach. Inaczej niż kobiety, które łatwiej dostrzegają względność ideologii czy doktryny. Kobiety stają się często – jak pokazuje historia – inspiratorkami niszczenia tego, co stare. W związkach to na ogół one prą do zmiany, szukają inspiracji, pomysłów, stają się wyzwaniem dla swoich mężczyzn.

głos kobiecy: Jak można wyjaśnić fakt, że poziom rozwoju Adama i Ewy był tak niski, iż nie mieli samoświadomości? Skoro byli stworzeni na obraz i podobieństwo Boga, powinni być doskonali. Czy wynika z tego, że Bóg nie ma samoświadomości, czy że samoświadomość została im odebrana?

Czy Bóg wie kim jest?

W. E.: To bardzo ciekawe pytanie. Niewielu odważa się je zadać. Pyta pani innymi słowy, czy Bóg jest świadomy sam siebie? Jak odpowiedzieć na takie pytanie? Mistrzowie zen słusznie ostrzegają: „jeśli tylko otworzysz usta, wpadniesz jak strzała prosto do piekła" – mając na myśli piekło rozróżniającego umysłu.

Bóg, zapytany na górze Synaj o to, kim jest, odpowiedział: „Jam jest, który jest." Innej odpowiedzi na to samo pytanie udzielił pierwszy patriarcha zen, wielki buddyjski święty, Bodhidarma. Odpowiedź brzmiała: „nie wiem". Inny mistrz zen powiedział, że poprzez przebudzenie wszechświat uświadamia sobie sam siebie.

głos męski: Choć jestem ateistą, szanuję Pismo Święte i dla mnie jest ono spójne, co najwyżej niezrozumiałe. Uważam, że tam nie ma nieporozumień i błędów. Jest to tylko kwestia głębokości wglądu. Czuję, że obrażasz Pismo Święte stwierdzeniem, że to a to jest niekonsekwentnym aspektem mitu. Moim zdaniem wszystko jest konsekwentne. Jeżeli stwierdzimy, że nie, możemy uznać, że jest to historia stworzona przez jakichś facetów, aby sterować kobietami.

W.E.: Prorocy rzadko piszą sami. Ich słowa są zapisywane przez uczniów niekoniecznie wolnych od ziemskich przywiązań. To co zapisane, nie jest więc bezpośrednim, żywym przekazem. Z czasem bywa poddawane cenzurze i korektom – może przekształcić się w dogmat i doktrynę służącą ludziom do realizacji ich doraźnych, „ziemskich" celów i maskowania deficytu rzetelnych, duchowych aspiracji. Spotkałem parę lat temu katolickiego zakonnika, który swoim licznym uczniom mówił: „im bardziej pokreślone jest twoje Pismo Święte, im więcej adnotacji i znaków zapytania, tym lepiej to o tobie świadczy".

głos kobiecy: Zaintrygowało mnie, że w pana interpretacji kobieta jest osobą niszczącą, ale i poszukującą, podczas gdy znane mi dotychczas interpretacje archetypu kobiety podkreślały, że kobieta jest istotą zachowawczą i nie rozwijającą się.

W.E.: To krzywdzące i nieprawdziwe. Wystarczy przypomnieć sobie Ewę.

głos kobiecy: Wydaje mi się, że w tym, co powiedziałeś, jest cudowny paradoks, ponieważ ta sama świadomość, która na skutek oddzielenia stała się świadomością rozróżniającą, w doświadczeniu religijnym, mistycznym czy duchowym staje się świadomością otwierającą ponownie bramę do Raju, czyli świadomością jedności, nierozróżniania, do której tak bardzo tęsknimy.

W.E.: Zgoda.

głos kobiecy: Jak postrzegasz zmianę pozycji kobiety w społeczeństwie w związku z tym, że dopuszczalne są różne interpretacje tego mitu? Czy zauważasz jakiś proces czy trend, który powoduje zmianę pozycji kobiety?

W. E.: Myślę, że taki trend jest wyraźny, choć może nie do końca uświadomiony i wyartykułowany. Natomiast nieświadome implikacje popularnej interpretacji tego mitu są w swoich skutkach niesprawiedliwe i niszczące dla kobiety. Rzec można: wołają o pomstę do nieba.

Z drugiej strony, wyłaniający się z tej popularnej interpretacji archetyp mężczyzny jest też upokarzający dla mężczyzn. Adam jawi się nam tutaj jako naiwny półgłówek, który najpierw dał się namówić na coś, o czym nie miał zielonego pojęcia, a potem miał jeszcze o to pretensje. Do dziś dnia ma pretensje i żyje złudzeniem, że jest pierworodnym dzieckiem Boga, które sprowadzono na złą drogę. W konsekwencji mężczyźni uzurpują sobie prawo do bycia boskimi namiestnikami i od wieków w imię Boga karzą, poniżają, kontrolują i eksploatują kobiety. Mało tego, dzielą je i napuszczają na siebie nawzajem. Doprowadzili między innymi do tego, że matka często bywa wrogiem własnej córki – o czym więcej powiemy przy innej okazji. **Adam – boski namiestnik**

Mężczyzna jest często niedojrzały i nieszczęśliwy. Mimo to, jako pierworodny syn Boga, czuje się zwolniony z obowiązku pracy nad sobą, chętnie natomiast zabiera się za zmienianie świata i rządzenie, nie zauważając faktu, że nie jest nawet w stanie kontrolować własnej seksualności. Z drugiej strony drzemie w nim lęk i niepewność uzurpatora, domagającego się nieustannych pochwał i zaszczytów. **Adam – nieszczęśliwy**

Odpowiedzialnością za seksualne zachowania mężczyzn obarczane są kobiety. Ten pogląd do dziś nieświadomie kształtuje nasze obyczaje, prawo i praktykę sądowniczą. Na szczęście wiele się w tej sprawie zmienia, szczególnie w Ameryce. Słynnego boksera Tysona skazano za gwałt, choć dziewczyna, którą zgwałcił, dobrowolnie przyjechała o pierwszej w nocy do jego hotelowego pokoju. W naszym kraju taki wyrok długo jeszcze nie będzie możliwy.

głos kobiecy: Czy mógłbyś powtórzyć – bo umknęło to mojej uwadze – co mówiłeś o symbolu energii kundalini?

W. E.: Wąż jest symbolem energii, która dąży do coraz wyższych rejonów świadomości. Jednym z pierwszych etapów tej wędrówki jest samoświadomość, czyli świadomość „ja". Następne etapy podróży pozwalają przekroczyć złudzenie „ja" i doświadczyć przebudzenia – innymi słowy uświadomić sobie, **Gdzie** że – tak naprawdę – nie opuściliśmy nigdy Raju. Co noc wra-**ten Raj?** camy do raju w czasie tak zwanej paradoksalnej fazy snu, kiedy nie mamy świadomości tego, kim jesteśmy, tego, że śpimy, że istniejemy. Jaki z tego pożytek? Niewątpliwie taki, że nasze ciało i umysł wypoczywają i regenerują się. Ale w wymiarze duchowym – żaden. Dopiero gdy wejdziemy w podobny stan z jasnym umysłem, budzimy się w Raju, pozostając dokładnie w tym miejscu, w którym stoimy.

głos kobiecy: Dobrze mi się tego wszystkiego słuchało, ale ja wyrosłam w zupełnie innej bajce. Przyglądam się temu pysznemu daniu, które tu przedstawiłeś i wiem, że jest inspirujące, tylko nie mam pojęcia jak to zjeść, jak się do tego dobrać. Jestem inaczej wychowana i nie mogę tego zasymilować. Ale czuję, że to jest to.

Czarownica
Mądra, szalona czy kozioł ofiarny?

Dzisiaj będziemy mówić o bolesnej i zawstydzającej sprawie, o prawdopodobnie największej w historii zbrodni ludobójstwa. Począwszy od lat 1420–1430, przez prawie trzy wieki w katolickiej części Europy obowiązywało prawo karania śmiercią za czary. Na początku nikt nie wspominał o kobietach-czarownicach. Chodziło przede wszystkim o pretekst do wyeliminowania Waldensów uznanych przez Kościół za heretyków uprawiających czary. Prawo to zostało usankcjonowane bullą papieską wydaną przez Innocentego VII w 1484 roku i zniesione dopiero w roku 1776, a więc trochę więcej niż dwieście lat temu. Zauważmy, że w tym samym roku powstała konstytucja amerykańska.

Ludobójstwo

Oczywiście, odwołanie tego prawa pod koniec XVIII wieku było już tylko formalnością, bowiem pęd do polowań na tak zwane czarownice znacznie zmalał. Miejmy nadzieję, że nie z braku czarownic, lecz dlatego, iż ludzie trochę się opamiętali. Największe nasilenie polowań miało miejsce w okresie Wojny Trzydziestoletniej, czyli na początku wieku XVII. Szacunki dotyczące liczby ofiar są bardzo różne. Najbardziej optymistyczne mówią o kilkudziesięciu tysiącach. Najbardziej czarne – o dwóch, a nawet trzech milionach ofiar do końca XVII wieku.

Zważywszy wielkość ówczesnej populacji Europy, ta ostatnia liczba jest monstrualna, stanowi bowiem co najmniej pięć procent ówczesnej liczby jej mieszkańców. To tak, jakby we współczesnej, katolickiej Europie spalono na stosach 20 milionów ludzi. Widać wyraźnie, kogo wtedy Szatan opętał. Zaiste niewielką pociechę stanowi fakt, że rozłożyło się to na 300 lat. Ostrze tego barbarzyńskiego prawa skierowane zostało już na samym początku jego funkcjonowania wyłącznie przeciwko kobietom. Wypada więc zapytać, jakie to czary groziły zdrowej, czystej i prawomyślnej męskiej połowie ludzkości ze strony kobiet?

Jakie kobiety palono? Do odpowiedzi na to pytanie przybliży nas, jak sądzę, próba określenia charakterystycznych cech kobiet, na które polowano. Muszę w tym miejscu przypomnieć, że nie jestem historykiem. Ale, o ile wiem, nikt jak dotąd nie zdołał (pewnie nie ma takich źródeł) opisać z punktu widzenia socjologa populacji sądzonych, skazanych i spalonych kobiet. Nie mówiąc już o tych, które padły ofiarą samosądów. Nie ma więc solidnych podstaw do wnioskowania.

Z konieczności będę mówił o wrażeniach, jakie odniosłem z nielicznych dostępnych lektur i z kilku wykładów na ten temat, których niegdyś wysłuchałem na uniwersytecie w Los Angeles. Otóż odniosłem wrażenie, że udokumentowane i opisane świadectwa prześladowań tak zwanych czarownic **Podejrzana, bo wolna?** dotyczą w przeważającej mierze kobiet nie będących w trwałych, usankcjonowanych związkach z mężczyznami. Czyżby chodziło przede wszystkim o kobiety, których życie seksualne wymykało się męskiej kontroli i jurysdykcji? Niewątpliwie mogło być ono doskonałym ekranem dla projekcji skrywanych potrzeb i fantazji porażonych bigoterią ówczesnych mężczyzn i ich małżonek „kolaborantek".

Wydaje się, że to właśnie potencjalna (bo przecież na ogół nie konsumowana) niezależność seksualna wolnych kobiet była wspólną cechą zdecydowanej większości prześladowanych. Poza tym wiele je różniło. Były wśród nich kobiety 40–50-letnie, na owe czasy stare, które trudniły się znachorstwem, zielarstwem i usuwaniem ciąży. Były kobiety chore – z wadami genetycznymi i niedorozwojem, a także po prostu chore psychicznie – tak zwane wiejskie czy miejskie wariatki, które często pełniły rolę niewynagradzanych, bezlitośnie wykorzystywanych prostytutek.

Szczególnie prześladowaną grupę stanowiły młode wdowy, których w tamtych czasach – nieustających wojen, chorób i zarazy – było wiele.

Wreszcie ostatnia grupa kobiet, kto wie czy nie najbardziej liczna, to młode, powabne dziewczyny – w tym także zakonnice – którym stłumione i zanegowane potrzeby seksualne „wychodziły bokiem", czyli – mówiąc językiem psychopatologii – przeżywane były wyłącznie w stanach rozkojarzenia, kiedy to nie jesteśmy w stanie nie tylko kontrolować własnych potrzeb, ale nawet zdawać sobie z nich sprawy.

Mówimy o bardzo skomplikowanym i złożonym zjawisku. **Seksizm**
W pierwszym okresie, trwającym od 50 do 100 lat, wyrażało się ono niewątpliwie zbiorową histerią, atmosferą linczu i pogromu usankcjonowanego wprawdzie półświadomą, ale w istocie swej rasistowską (jeśli ktoś chce – seksistowską) ideologią ludobójstwa. W tym czasie wystarczyło być kobietą, czyli człowiekiem „rasy" żeńskiej, aby nie być pewnym swego losu.

Nikt nie wie, ilu mężów skorzystało z tej okazji, aby bezlitośnie ukarać swoje niewierne, a nawet tylko podejrzewane o niewierność żony. Ilu odrzuconych, urażonych w swej dumie kochanków oskarżyło o czary cudowne obiekty swoich fascynacji. Ilu niewiernych mężów próbowało ratować skórę, posyłając swoje kochanki na śmierć za czary.

Nie dowiemy się też nigdy, ile z tych kobiet zostało zadenuncjowanych przez inne kobiety w imię zemsty za uwiedzenie ich mężczyzn lub też jedynie z obawy przed zdradą i porzuceniem. Jedno wiadomo na pewno: drzwi dla wszelkiego rodzaju nadużyć, niegodziwości, paranoi i nienawiści zostały otwarte szeroko. Podkreślmy, że wszystkie te tak okrutnie torturowane i zabijane kobiety były kozłami ofiarnymi, cierpiącymi i umierającymi za to, do czego ich oskarżyciele nie potrafili nawet sami przed sobą się przyznać.

**Ofiara
– posłaniec**

Czynienie ofiary to w swojej pierwotnej, niezdegenerowanej formie bardzo ważny rytuał religijny. Celem tego rytuału było nawiązanie kontaktu z sacrum w wymiarze zarówno zewnętrznym jak i wewnętrznym. Ofiara spełniała rolę posłańca między człowiekiem a bóstwem. Jej zadaniem było powiadomienie bóstwa o grzechach tych, którzy wysyłali ofiarę na tamten świat z misją wyproszenia wybaczenia. Stąd ważną częścią tego rytuału jest – jak w obrządku żydowskim – jawna spowiedź dokonywana w obecności ofiary, zanim jeszcze ta zginie. W ten sposób składający ofiarę brali publiczną odpowiedzialność za własne grzechy, których wybaczenie kozioł czy baranek ofiarny miał wybłagać. Akt pozbawienia życia nie był więc karą, zemstą, ani sposobem zaspokojenia krwiożerczego bożka, a jedynie sposobem na to, aby ofiara – dzięki pozbawieniu jej ciała – mogła nawiązać bezpośredni kontakt z Bogiem.

**Ofiara
– wygnaniec**

Niestety, w naszych współczesnych obyczajach tradycja ta przetrwała w formie znęcania się nad kozłem ofiarnym. Znęcanie się nad kozłem ofiarnym, choć chwilowo uwalnia nas od poczucia winy i grzeszności, jednocześnie wpędza nas w jeszcze cięższy grzech, gdy beztrosko przypisujemy kozłu ofiarnemu wszystko to, co przed sobą i przed Bogiem chcemy zataić.

W dodatku ulegamy monstrualnemu złudzeniu, że jeśli kogoś – uznanego przez nas za wcielenie wszelkiego zła – zabijemy, to staniemy się lepsi, a Bóg odwdzięczy się nam sowicie za to, że tak dzielnie wyręczyliśmy go w walce ze złem. W istocie jednak nakręcamy tylko sprężynę agresji, nienawiści i zła, ulegając jednocześnie najniebezpieczniejszej z iluzji: iluzji własnej sprawiedliwości i świętości.

Zbiorowe szaleństwo polowań na czarownice nie trwało dziesięć lat, jak polowanie na Żydów w III Rzeszy, ani nawet lat 70, jak komunizm. W swoim apogeum trwało co najmniej 150 lat, natomiast prawo sankcjonujące ten obłęd obowiązywało lat prawie 300. Widać z tego, że polowanie na czarownice jest chyba największą hańbą współczesnej europejskiej cywilizacji, a w dodatku pierwowzorem instytucjonalnych i zalegalizowanych form ludobójstwa.

Wygląda na to, że Adam, rozpaczliwie pragnąc oczyścić się przed Bogiem z grzechu i odzyskać jego przychylność, mordował z zimną krwią Ewę, swoją siostrę i żonę, krzycząc wniebogłosy, że „to jej wina". **Adam zabija Ewę**

Adam nie po raz pierwszy i nie ostatni oszalał. Pełen pychy, gniewu i zaślepienia dopuścił się strasznej zbrodni. Zapomniał, że łatwiej zobaczyć źdźbło w oku bliźniego, niż belkę we własnym. Aż boję się pomyśleć, jaka kara czeka go za tak zbrodniczą głupotę.

Przypomnijmy, że w atmosferze religijnej histerii wiele kobiet przyznawało się do winy. Większość zapewne dlatego, że nie była już w stanie znosić okrutnych tortur, ale jakaś część niejako z własnej woli. Nie sposób się temu dziwić. Kobiety w naszej kulturze (a także w innych kulturach przesyconych represyjną, antykobiecą ideologią) rodzą się z poczuciem winy, doświadczając zarazem związanej z tym wielkiej potrzeby ekspiacji i kary. Seksuolodzy podkreślają fakt, że ogromna większość kobiet w swoich fantazjach seksualnych (jeśli już mogą sobie na nie pozwolić) przeżywa satysfakcję w sytuacjach masochistycznych lub w sytuacji gwałtu. **Samoukaranie**
Widać z tego, że kobiety boją się brać odpowiedzialność za swoje potrzeby seksualne i karzą się za nie. Satysfakcja seksualna musi zostać okupiona karą lub być wynikiem przemocy. Jak donosi światła i odważna badaczka tych spraw, Nancy Friday, ostatnio – przynajmniej w Ameryce – tendencja ta na szczęście zanika.

Ale cóż miały robić sfrustrowane seksualnie i zaszczute kobiety z czasów polowań na czarownice? Przeżycie we śnie czy na jawie samoistnego lub sprowokowanego orgazmu (co obecnie jest zjawiskiem zrozumiałym, częstym i na ogół chętnie doświadczanym przez kobiety) w owym czasie można było widocznie przypisać jedynie nieczystym mocom i spółkowaniu **Kochanek – Szatan**

z diabłem. Cóż to były za ponure i groźne czasy, skoro jedynym sprawnym, wrażliwym i dającym satysfakcję kochankiem mógł być Szatan. Wyklęta i wyparta seksualność kobiety nie mogła być przeżywana odpowiedzialnie i podmio-
towo. Nie sposób było się do niej przyznać. W dodatku bra-
kowało godnego, adekwatnego języka, w którym można było
opisać te doznania. Istniał tylko język pogardy, grzeszności,
lęku i winy. Metafora Szatana jako sprawcy i zarazem adre-
sata tych podejrzanych przeżyć była jedynym dostępnym i społecznie aprobowanym sposobem artykulacji kobiecych doznań
seksualnych.

Męskie inkwizycyjne sądy ze zgrozą – pomieszaną zapewne
z fascynacją – wysłuchiwały soczystych opisów orgazmów
przeżywanych przez domniemane czarownice. To wystarczało,
żeby je skazać na śmierć.

Oczywiście wątek seksualny, choć niezwykle ważny jako
psychologiczny motyw polowania na czarownice, nie oddaje
całej złożoności przyczyn tej tragedii. Spróbujmy więc, idąc
za tym co pisze Fritjof Capra w *Punkcie zwrotnym*, spojrzeć na
sprawę nieco szerzej.

Pamiętajmy, że rzecz działa się po okresie Renesansu i Reformacji. Nie były to więc jakieś zamierzchłe, średniowieczne
czasy, gdy ludzie nie umieli samodzielnie myśleć, gdy jeszcze
nie powiało odkrywaniem możliwości ciała, umysłu i ducha.
Wręcz przeciwnie. W tym kontekście polowanie na czarownice
było niewątpliwie „pełzającą kontrrewolucją", w dużej mierze
podświadomą próbą zahamowania przemian kultury i obyczaju zapoczątkowanych w czasach Renesansu i Reformacji.

Kontr-
rewolucja
Zapytajmy więc: jaki kierunek rozwoju spraw ludzkich, jaki
kierunek rozwoju świadomości, obyczajowości i religijności
człowieka próbowano zablokować, dokonując tak ogromnej
zbrodni?

W rozmowie o tym co wydarzyło się pod Rajskim Drzewem pozwoliliśmy sobie na przypuszczenie, że kobieta i mężczyzna zostali uczynieni z tej samej gliny i powstali w tym

samym momencie, dzięki jednej prostej operacji, którą przedstawiłem posługując się metaforą podzielonego arkusza papieru. Z punktu widzenia całości, jedno bez drugiego nie może w ogóle istnieć. Swoim kształtem określa jednoznacznie drugą, brakującą połowę. Jeszcze wyraźniej możemy to zobaczyć, gdy ten sam arkusz papieru ustawimy pionowo.

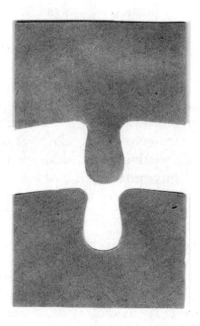

Mężczyzna może istnieć tylko dzięki temu, że istnieje druga połowa, czyli kobieta. I odwrotnie. Tak jak nie do pomyślenia jest dzień bez nocy czy dolina bez góry. Zwróćmy uwagę, że z takiego sposobu widzenia płciowej polaryzacji wynika wprost postulat symetryczności, równości i komplementarności obu płci.

Komplementarność

Spróbujmy teraz przyjrzeć się bliżej temu, jak spolaryzowała się ta dwupłciowa całość w jej różnych, szczegółowych aspektach. To nas przybliży do odpowiedzi na zadane nieco wcześniej pytanie.

EWA	ADAM
pasywność	aktywność
kooperacja	rywalizacja
wrażliwość	odporność
intuicja	rozumowanie
uczucia	wola
synteza	analiza
uległość	stanowczość
miękkość	sztywność
cielesność	umysłowość
chęć bycia poznaną	potrzeba poznania
i spenetrowaną	i penetracji
partnerstwo	górowanie
jedność	oddzielenie
intymność	dystans
akceptacja	wymagania

Nie jest to oczywiście lista kompletna. Dokonałem arbitralnego wyboru wymiarów istotnych z punktu widzenia tematu naszej rozmowy. Inwentarz właściwości elementu męskiego i kobiecego – tak jak przejawiają się one we wszechświecie – można by rozwijać i uszczegóławiać w nieskończoność. Ryzykując pewne uproszczenie rzec można, że po lewej stronie jest to, co płonęło na stosach, a po prawej to, co je podpalało.

Zwróćmy uwagę, że wszystkie te właściwości przejawiają się nie tylko w naszych relacjach z ludźmi, ale również w naszym funkcjonowaniu intelektualnym i emocjonalnym. Najogólniej mówiąc, opisują niektóre istotne wymiary ludzkiej obecności w świecie.

**Męskie
– żeńskie?** Starajmy się ustrzec przed odczytywaniem powyższej listy cech jako listy właściwości kobiety po jednej stronie, a mężczyzny po drugiej. To byłoby ogromne uproszczenie. Chodzi

tutaj o polaryzację, która przebiega w każdym z nas, niezależnie od tego czy jesteśmy kobietą, czy mężczyzną. Gdy zdarzy się nam być mężczyzną, często tak zwane cechy męskie są na pierwszym planie, choć nie jest to zasada bezwyjątkowa, raczej predyspozycja. Gdy zdarzy się nam być kobietą, pojawia się predyspozycja w kierunku cech właściwych kobiecości. Jeśli nie będziemy odczytywać tych terminów w sposób wartościujący, a jedynie opisowy, łatwiej spostrzeżemy, że uzupełniają się wzajemnie i wszystkie są niezbędne do istnienia w świecie, a zarazem do tego, aby świat mógł istnieć.

Po tych ostrzeżeniach i wyjaśnieniach zajmijmy się tym, jak powyższe właściwości mają się do obowiązującego w naszej patriarchalnej kulturze stereotypu Boga.

Patriarchat trwa już z górą trzy tysiące lat. To sprawia, że – jak pisze Capra – ten sposób widzenia i rozumienia świata wydaje nam się jedynym możliwym i uzurpuje sobie status prawa naturalnego. W gruncie rzeczy jednak patriarchat jest wynikiem określonej ekonomiczno-socjologiczno-kulturowej koniunktury, jest jednym z etapów rozwoju cywilizacji, a zarazem jednym z etapów rozwoju ludzkiej świadomości, który, jak się zdaje, z wolna przechodzi do historii.

Bóg-Ojciec czy Bóg-Matka?

Na patriarchalny stereotyp Boga składają się przede wszystkim: oddzielenie, górowanie, dystans, konfrontacja, wymaganie, karanie. Oczywiście stereotyp ten jest identyczny z najbardziej rozpowszechnionym stereotypem ojca.

Ojciec, z mocy biologii, jest oddzielony. Nie jest w stanie zajść w ciążę, nosić potomstwa w swoim brzuchu, wydać go na świat ani karmić własnym mlekiem. Jest skazany na oddzielenie od swoich dzieci i to oddzielenie sprawia, że w kontakcie z dziećmi góruje, trzyma dystans, wymaga i naucza. Tak jednostronnie pojmowana rola ojca może być pożyteczna na pewnym etapie rozwoju dziecka.

Jeśli ojciec jest mądry, dziecko może się od niego wiele nauczyć. Ale nie nauczy się wszystkiego, czego nauczyć się powinno. Na szczęście dzieci mają matki, które równoważą jednostronność ojcowskiego wpływu i uczą je innych sposobów obcowania ze światem i ze sobą.

Podobnie rzecz się ma w wielu tradycjach religijnych, gdzie jednostronność męskiego, ojcowskiego Boga jest równoważona przez współobecność kobiecego aspektu bóstwa w postaci żony bądź matki.

Jedność czy oddzielenie? Matka ma wrodzoną możliwość doświadczenia kontaktu i jedności ze swoim potomstwem. Patrząc na to głębiej, można powiedzieć, że matka ma biologicznie zagwarantowaną możliwość doświadczenia mistycznego. Wprawdzie niewiele kobiet potrafi lub chce odczytać urodzenie potomstwa jako doświadczenie mistyczne, ale jest to niewątpliwie pierwowzór doświadczenia zarazem jedności i rozdzielenia dwóch istot. Zauważmy, że kobieta doświadcza matki z perspektywy bycia córką, która jest – w przeciwieństwie do syna – istotą „identyczną" z matką. Doświadczenie jedności z matką i potomstwem otwiera kobiecie drogę do pełnego przeżywania intymności i miłości w kontaktach z ludźmi. Niestety, większość kobiet po zderzeniu z religią, obyczajem i wychowaniem z reguły traci to pierwotne, drogocenne otwarcie serca i brzucha.

Dziewo-rództwo Wydaje się prawdopodobne, że w czasach przedpatriarchalnych boskość i religijność przeżywane były w duchu kobiecego doświadczenia jedności matki z córką i córki z matką. To zapewne stawiało mężczyzn w sytuacji podrzędnej. Dodatkowo brak wiedzy na temat męskiego udziału w prokreacji i mit dzieworództwa czynił bytowanie mężczyzn na tym świecie w dużej mierze bezużytecznym. W świetle tego możemy zobaczyć patriarchat jako zemstę ofiary i dopełnienie trwającej do dziś ery polaryzacji na męskie i kobiece. W czasach polowań na czarownice przybrało to formę chyba najbardziej drastyczną i tragiczną.

Zemsta ofiary Jeszcze jeden wymiar polaryzacji „kobieta-mężczyzna" wydaje się ważny dla psychologicznej interpretacji tego, o co chodziło w polowaniach na czarownice. Kobieta (nie każda oczywiście), psychologicznie rzecz biorąc ma predyspozycje do uległości i otwarcia. Mężczyzna (też nie każdy) ma tendencję do asertywności, podkreślania swojej odrębności i siły. Uległość wiąże się z potrzebą bycia poznaną i spenetrowaną. W ten sposób przejawia się kobieca potrzeba doświadczenia jedności, powrotu do pierwotnego stanu pojednania z męskim aspektem istnienia.

U mężczyzny ta sama pierwotna potrzeba pojednania z kobiecym aspektem istnienia przejawia się jako stanowczość, chęć penetracji i poznania.

Jednostronność patriarchatu, obarczającego kobietę winą za wszelkie nieszczęścia tego świata, sprawia, że kobieca potrzeba otwarcia i uległości degeneruje się często w to, co nazywa się masochizmem, a męska potrzeba stanowczości, wyodrębnienia i penetracji degeneruje się w sadyzm.

Właściwa kobietom tendencja do otwartości i uległości, bycia poznaną i spenetrowaną, była i jest nagminnie nadużywana. Prowokuje bowiem osoby mało wrażliwe – wywodzące się zarówno spośród kobiet, jak i mężczyzn – do inwazji i gwałtu. Otwartość i uległość w starciu z przemocą przedzierzgają się w masochizm.

Z kolei męska stanowczość, potrzeba wyodrębnienia się i penetracji przybiera postać sadyzmu. Szczególnie wtedy, gdy chłopcy, opuszczeni lub zdradzeni przez ojców, nie mogą sobie poradzić z obezwładniającą matczyną nadopiekuńczością i upokarzającym odrzuceniem. W sytuacjach, gdy dochodzi do głosu potrzeba doświadczenia jedności z kobiecym aspektem istnienia, silnie stłumiona złość może wyrodzić się w sadyzm.

Mówimy tu o kobiecym masochizmie i męskim sadyzmie w ich wielu zróżnicowanych przejawach. Jednym z nich (i to niekoniecznie najważniejszym) są zachowania seksualne. Nie ulega wątpliwości, że fenomen polowania na czarownice, śledztwa i tortury, których doświadczały kobiety z rąk mężczyzn, wszystko to było przerażającym przejawem sadystycznej degeneracji męskiej miłości do kobiety.

Masochizm i sadyzm

**Kobieta
– przyroda**

W literaturze feministycznej można spotkać tezę, że sposób w jaki mężczyźni reagują na kobiety, nawiązuje w swojej ewolucji do tego, jak w danym okresie historycznym postrzegano i przeżywano przyrodę.

W Średniowieczu przyroda była dla ludzi czymś dzikim, zagrażającym, ale budzącym podszyty lękiem szacunek. Była traktowana jako przejaw archetypu matki, a więc mogła wyzwalać także uczucia miłości. Dlatego w Średniowieczu kobieta – jako dziki i tajemniczy aspekt przyrody – była wprawdzie zniewolona, ale niewątpliwie szanowana.

W epoce Renesansu, gdy pojawiło się mechanicystyczne rozumienie przyrody i związana z nim iluzja możliwości zapanowania nad nią, zmienił się też stosunek do kobiety. Kobietę zaczęto kontrolować i manipulować nią, tak jak się to czyni z mechanizmami. Ochronna otoczka szacunku zaczęła się kruszyć. Musiała powstać niebezpieczna wyrwa w obyczajowości, pozwalająca na niekontrolowaną erupcję agresji w stosunku do tego, co w kobiecie tajemnicze, niezrozumiałe i nie poddające

**Pokochać,
aby
przetrwać**

się kontroli. Dopiero od niedawna w umysłach ludzi zaczęła świtać świadomość, że przyroda, a więc i kobieta, są skarbami, które trzeba chronić i bez których patriarchalny, męski świat nie przetrwa.

*

głos z sali: Jak to wyglądało wcześniej, przed paleniem czarownic, co się stało później i jak to wygląda w dzisiejszych czasach? Słyszałem, że ruch czarownic odradza się.

W.E.: Miejmy nadzieję. Na pewno jest ich tutaj kilka. Przedtem nie było tak zupełnie inaczej. Stosunek do kobiet był zdominowany trwającym trzy tysiące lat patriarchatem. Jednak dopiero po okresie Renesansu i Reformacji, po raz pierwszy w znanej nam historii, męskie lęki związane z kobietami nabrały wymiaru religijnego. Bulla papieska zalegalizowała głupotę, niegodziwość i okrucieństwo. Mało tego – podniosła je do rangi cnoty, a ofiarnych egzekutorów okrutnego prawa

**Doktryna
lęku**

uznała za obrońców prawdziwej wiary. Wróżki, zielarki, mądre, niezależnie myślące i czujące kobiety, istniały z pewnością wcześniej, ale wtedy ich na szczęście nie palono. Co było potem? Potem jesteśmy my. W końcu nie tak dużo czasu minęło od uchwalenia konstytucji amerykańskiej. Kobiety już od stu lat w coraz bardziej masowy i zorganizowany sposób kwestionują naturalność i oczywistość patriarchatu, dzięki czemu zaczął się równoważyć układ energii w świecie. Pozostaje mieć nadzieję, że Ewa nie będzie tak ślepa i pełna pychy jak Adam.

głos z sali: Zarówno matka-ziemia, jak i kobieta są wyeksploatowane i równowaga tych żywiołów została mocno zachwiana. Jak widzisz proces równoważenia tej sytuacji?

W.E.: Mężczyźni przypisywali swoim kobiecym ofiarom wyparty aspekt samych siebie, uczucia, których sami w sobie się bali – uczucia seksualne lub odruchy niepokorności wobec oficjalnej doktryny wiary i wiedzy. Musieli je wypierać, a w konsekwencji niszczyć wszystko, co te uczucia wzbudzało lub przypominało o nich. Ten powszechny mechanizm obronny dotyczy także innych niż seksualne uczuć i potrzeb.

Najbardziej istotny jest wewnętrzny wymiar tego konfliktu. Tak na to patrząc rzec można, że cała tragedia rozegrała się w mężczyznach. Niestety, ten pierwotny wewnętrzny konflikt mężczyzn przerodził się w pozornie zewnętrzny konflikt „kobiety – mężczyźni". Jedno jest pewne: dopóki nie poznamy siebie do końca, dopóki nic co ludzkie – bez względu na to, czy kobiece, czy męskie – naprawdę nie będzie nam obce, dopóty będziemy znajdować ofiary i zadawać im cierpienie za grzechy przez nas samych popełnione.

Współcześnie, na skutek ewolucji obyczaju i coraz większej kultury psychologicznej, mężczyźni zaczynają sobie uświadamiać swój utracony, spalony aspekt wiedźmy w jej pozytywnym, pierwotnym rozumieniu „tej, która ma wiedzę". Ten proces musi postępować, bo inaczej gatunek męski skaże sam siebie na wymarcie. Mężczyźni, którzy dystansują się wewnętrznie wobec swojego kobiecego aspektu, umierają młodo

Obrona
przed sobą

Wiedźmy,
ratujcie!

i szybko. Ich wewnętrzny, psychologiczny konflikt somatyzuje się. W konsekwencji zapadają na choroby uznawane – w kategoriach tradycyjnej medycyny chińskiej – za dolegliwości wynikające z niedoboru jin, czyli z niedoboru energii zwanej kobiecą. Kobiety na ogół są w lepszej sytuacji. Można powiedzieć, że mają bliżej siebie to, co dla mężczyzn trudniejsze. Oczywiście, sprawa nie jest tak prosta, jeśli weźmiemy pod uwagę fakt, że na skutek tych trzech tysięcy lat patriarchatu wiele kobiet, przystosowując się do sytuacji, wyparło swój kobiecy aspekt. W swojej praktyce terapeutycznej spotykam wiele kobiet, które swoje własne, kobiece ciało mają dokładnie wyparte ze świadomości. Nadużywane i upokarzane od pierwszych miesięcy życia, przestaje być ich własnością. Staje się własnością nieświadomych lub świadomych oprawców-właścicieli.

Chciałbym się jeszcze ustosunkować do niebezpiecznej, formułowanej czasem tezy, że za spalenie tych paru milionów kobiet na stosach odpowiedzialni są w równym stopniu mężczyźni, jak i kobiety.

Paranoja   Nie łudźmy się. To mężczyźni zabijali te kobiety i było to zbiorową aberracją na przerażającą skalę. Tylko paranoicy mogli dokonać takiej zbrodni, jak zresztą większości zbrodni na tym świecie. Wprawdzie wiele kobiet się do tego „podłączyło" i bywały bardziej papieskie niż sam papież, jednak nie zdejmuje to odpowiedzialności z mężczyzn, którzy zainicjowali i zalegalizowali owo zbiorowe szaleństwo. Może się mylę, ale mam wrażenie, że na przestrzeni dziejów kobiety znacznie rzadziej od mężczyzn zapadały na ideologiczną paranoję. Pewnie dlatego, że jest to choroba atakująca przede wszystkim tych, którzy sprawują władzę lub zmierzają do jej sprawowania.

Pierwsze zorganizowane przejawy kobiecego protestu i próby udziału w podejmowaniu decyzji politycznych pojawiły się zaledwie na początku tego wieku. To, co było wcześniej, było zwykłym niewolnictwem.

Dopiero we współczesnych społeczeństwach dwudziesto-
wiecznej, liberalnej demokracji głos kobiet został po raz pierwszy – choć jeszcze nie w pełni – wyartykułowany.
Ruch emancypacji kobiet przechodził różne koleje. Na początku był to ruch gniewu, żalu i rywalizacji, głos ofiary, pró-
bującej wyrwać się z trzechtysiącletniej niewoli. Siłą rzeczy jest
to wciąż głos pełen resentymentu. Z pewnością wiele jest jeszcze do wykrzyczenia i odreagowania. Ostatnio jednak coraz
wyraźniej ujawniają się w ruchu feministycznym zrównowa-
żone, nierywalizacyjne idee, w pierwszym rzędzie idea realizowania autentycznego archetypu kobiecości.

głos z sali: Jak pan widzi kobietę w roli kapłanki?

W.E.: Najwyższy czas, żeby kobiety zaczęły znowu być kapłankami. Najlepiej kapłankami ich własnej religii. We współczesnej amerykańsko-europejskiej buddyjskiej szkole zen, która
jest mi bliska, nie czyni się pod tym względem żadnej różnicy
między kobietami, a mężczyznami.

Niestety, w innych religiach świata, takich jak chrześcijań-
stwo, judaizm, islam i hinduizm – kobiety nie mogą być kapłankami. Obawiam się, że jeśli religie te nie znajdą w sobie
dość siły, żeby się zreformować, osiągną swój schyłek wraz
z nieuniknionym schyłkiem patriarchatu.

Oczywiście powrót do matriarchatu byłby błędem, cofnię-
ciem się. Cała nadzieja w ewolucji ludzkiego umysłu i świadomości, która, być może, pozwoli odnaleźć wewnętrzną równowagę zarówno mężczyznom jak i kobietom.

głos z sali: Wydaje mi się, że zmierzamy w dobrym kierunku
– rozwój głębokiej ekologii holistycznej, koncepcji zwracającej
naszą uwagę na równoważenie, harmonizowanie wielu aspek-
tów rzeczywistości, idzie w parze z ujawnianiem – zarówno
w kobietach, jak i mężczyznach – tych właściwości, o których
mówiłeś jako o kobiecych. Istnieje też bardzo poważny ruch
męski, który dąży do odtworzenia niezakłamanego archetypu
męskości, zawierającego w sobie zarówno męskość jak i kobiecość. Tak więc bądźmy dobrej myśli.

Kobieta-
-kapłanka

Sto procent
mężczyzny,
sto procent
kobiety

W.E.: W związku z powyższym przypomina mi się wydarzenie zapisane w kronikach zen. Pewna kobieta, sfrustrowana zapewne swoją kobiecością, zapytała nauczyciela zen: „Jak przekroczyć kobiecość?" Otrzymała odpowiedź: „Jeśli chcesz przekroczyć kobiecość, stań się w stu procentach kobietą, jeśli chcesz przekroczyć męskość, stań się w stu procentach mężczyzną." Zostajemy więc z pytaniem: „Co to znaczy być w stu procentach kobietą albo w stu procentach mężczyzną?"

głos z sali: Być jednym ze wszystkim.

W.E.: No właśnie. To jest kierunek, w którym trzeba zmierzać. Wtedy dopiero stanie się pewne, że mężczyźni nie zechcą znowu palić kobiet na stosach, ani odwrotnie.

Święta, syrena czy ladacznica?
Pozorny dylemat kobiecej seksualności

Dzisiaj chciałbym się zająć jeszcze raz, w innym nieco wymiarze, problemem kobiecej seksualności. Zacznijmy od namysłu nad tym, w jakiej psychologicznej sytuacji kobiety pojawiają się na ogół na tym świecie. Przedstawię wam scenariusz opisujący – jak uczy mnie doświadczenie – losy wielu kobiet. Nie znaczy to oczywiście, że dotyczy każdej z nich, nie znaczy też, że jest najgorszym z możliwych. Słuchałem wielu nieporównanie bardziej dramatycznych i okrutnych opowieści. To scenariusz „uśredniony", dzięki czemu obecne tu kobiety będą mogły, jak myślę, odnaleźć w tej historii fragmenty swoich własnych losów.

*

Nie będziemy tu dużo mówić o matce Małej Dziewczynki, ponieważ to, co powiemy o niej samej dotyczy w równym, a często w jeszcze większym stopniu jej matki. Mówiąc więc o Dziewczynce, która ma się właśnie urodzić, jednocześnie opowiadamy historię jej matki. Zaznaczmy tylko, że matka Małej Dziewczynki jest kobietą niezrealizowaną i nieszczęśliwą, choć może o tym jeszcze nie wiedzieć. Póki co, jest młoda i zakochana w swoim mężu.

Pilnie przestrzega społecznych norm i oczekiwań. Chce być za wszelką cenę w porządku, bo w głębi serca podejrzewa, że coś jest z nią nie tak. Dlatego marzy o tym, aby urodzić syna. Czuje przez skórę, że jest to dla niej szansa nobilitacji. Nie

Smutna
historia
Małej
Dziewczynki

zdając sobie z tego sprawy, czuje się podobnie jak żona króla, która pragnie urodzić następcę tronu, aby zapewnić sobie przychylność męża i narodu.

Los sprawia, że rodzi się jednak Dziewczynka. Matka Dziewczynki czuje się zawstydzona, upokorzona i winna, gdy mąż daje jej do zrozumienia, że nie jest zadowolony z takiego obrotu sprawy i że będą musieli spróbować jeszcze raz. Matka – choć bardzo nie chce – nie potrafi nic poradzić na to, że jej upokorzenie, rozczarowanie sobą i poczucie winy przeistaczają się nieuchronnie w niechęć do jej narodzonego właśnie dziecka. Ta nieakceptowana niechęć pokrywana bywa często deklaracjami wielkiej miłości, radości i nadopiekuńczością. Mała Dziewczynka zaś, od pierwszych chwil swego życia, a może nawet wcześniej – jeszcze w brzuchu matki – czuje, że atmosfera wokół niej nie jest zbyt przychylna. Przeczuwa, że wkracza w bardzo trudny świat i będzie musiała wynagrodzić swojej mamie, swojemu tacie i całemu światu rozczarowanie, jakim niechcący się stała. Wielkie pytanie „dlaczego?" i towarzyszące mu poczucie krzywdy pojawi się w jej umyśle dużo, dużo później.

I tak oto, od początku swojego istnienia, Mała Dziewczynka skazana jest na nieustanne staranie się o to, aby zostać zaakceptowaną. Tym bardziej, że zachowanie mamy wydaje się potwierdzać, że z Dziewczynką jest coś nie tak. Mama – wbrew temu co deklaruje – nie zajmuje się nią zbyt chętnie. Nie widać w niej zachwytu i entuzjazmu, którego kiedyś doświadczy młodszy brat Dziewczynki. Mała Dziewczynka wyczuwa, że mama przełamuje coś w sobie, gdy karmi ją piersią. Karmi ją krócej, niż będzie kiedyś karmiła jej brata. Niezmierzone szczęście obcowania z piersią matki trwa tylko trzy–cztery miesiące. Potem okazuje się, że mama ma jakieś niezwykle ważne sprawy i Dziewczynka coraz rzadziej ją widuje, spędzając wiele czasu pod opieką innych kobiet. Często jest to babcia, mama mamy.

Podobnie rzecz się ma z troską o czystość Małej Dziewczynki. Mama odczuwa niechęć, a czasami z trudem ukrywany przed samą sobą odruch obrzydzenia, gdy musi zmieniać

Małej Dziewczynce pieluszki i dbać o czystość jej genitaliów. Ale dla Małej Dziewczynki miłość matki jest najważniejsza. W mozolnym trudzie starania się o matczyne uczucie gubi gdzieś na zawsze odczucie naturalności i niewinności swego ciała oraz niepowtarzalny klimat intymnej i oczywistej z nim więzi. Wkrótce solidaryzuje się w pełni z matką w niechęci do własnego krocza i wszystkiego, co się z nim wiąże. Dzięki temu czuje się bliżej mamy.

Dlatego też, gdy mama – chcąc pozbyć się kłopotu związanego z pieluchami – dąży do tego, aby jej córeczka jak najszybciej usiadła na nocniku, Dziewczynka z całych sił stara się jej pomóc, mimo że fizjologicznie nie jest w stanie kontrolować swoich zwieraczy. Cierpliwie i długo wysiaduje na nocniku, choć boli ją pupa i kręgosłup, bo jest jeszcze za słaba, aby siedzieć. Ale gdy słyszy jak mama opowiada sąsiadkom i rodzinie, że jej córeczka jest taka zdolna, że tak szybko nauczyła się siadać na nocniku, że jest grzeczna i nie sprawia kłopotu – gotowa jest znieść każdą torturę i z całych sił napina podbrzusze, pośladki i całe ciało, usiłując za wszelką cenę kontrolować to, czego kontrolować nie jest jeszcze w stanie.

W końcu mama przejmuje całą kontrolę nad jej wydalaniem. Dziewczynka słyszy wtedy, że ma zrobić teraz i natychmiast, żeby nie robić później, albo że teraz jej robić nie wolno, albo, że będzie siedziała tak długo, aż zrobi.

Mała Dziewczynka pomału dochodzi do wniosku, że ta „brzydka pupa", będąca powodem tak wielu przykrości i kłopotów mamy, z pewnością nie jest częścią jej ciała. Nie wie jeszcze, że odcina się od swojej płci i seksualności.

Jednocześnie zaczynają się problemy z jedzeniem. Mała Dziewczynka traci apetyt. Gdzieś głęboko, nie będąc tego świadomą, wie, że nie zasługuje na to, aby dostać to, czego potrzebuje i tyle, ile potrzebuje. Jednocześnie podświadomie wyczuwa w jedzeniu ten sam gorzki posmak niechęci i powściągliwości w dawaniu, którego doświadczała, gdy mama karmiła ją piersią. Dziewczynka bardzo dobrze rozumie mamę i jak zwykle solidaryzuje się z nią, a więc odmawia sobie samej prawa do jedzenia. Kiedyś być może zrozumie, że w ten sposób odmawia sobie prawa do życia.

Mama powodowana z jednej strony poczuciem winy, a z drugiej gniewem, jaki wzbudza w niej ta niespotykana niesubordynacja córki – zaczyna gwałtem przełamywać jej opór. Teraz, dla odmiany, Mała Dziewczynka wysiaduje za karę godzinami nad talerzem ohydnej, zimnej zupy. Jedzenie zaczyna wiązać się w jej umyśle z czymś przerażającym i mrocznym, nad czym nie panuje. Z drugiej strony Dziewczynka z satysfakcją odkrywa, że nigdy przedtem nie udało jej się wzbudzić w mamie tak silnych uczuć.

Mama niechętnie słucha jej skarg, nie mówiąc już o płaczu czy krzyku. Żeby uniknąć gniewu mamy i zasłużyć na jej uznanie, Mała Dziewczynka zaciska gardło i napina przeponę. Po wielu latach odkryje, że nie potrafi krzyczeć ani głośno płakać i że jej głos jest zbyt wysoki i matowy, brzmi dziecinnie i nie wibruje w brzuchu.

W wyniku tego wszystkiego Mała Dziewczynka zaczyna mieć coraz większe wątpliwości, czy jej ciało w ogóle do niej należy.

Dopiero wiele lat później zrozumie niewypowiedziany, okrutny matczyny przekaz: „skoro już się urodziłaś, to przynajmniej nie sprawiaj żadnego kłopotu". Szybko uczy się tego, jak godzinami zajmować się sobą gdzieś w kąciku. Mama bardzo ją chwali za to, że ma córeczkę tak grzeczną, że często w ogóle zapomina o jej istnieniu.

Gdy Mała Dziewczynka pójdzie już do szkoły, będzie się bardzo pilnie uczyć, ponieważ zobaczy, że sprawia tym przyjemność mamie i tacie. Przy okazji odkryje, że czytanie pozwala w fantazji przeżywać to wszystko, czego nie może przeżywać w rzeczywistości, pozwala wcielać się w różne postacie, wyobrażać sobie niedostępne światy. To, co czyta, często potwierdza jej poczucie, że coś jest z nią nie tak i że niewiele jej się należy. Z poczuciem oczywistości czyta o losach Kopciuszka czy Śpiącej Królewny albo inne bajki o księżniczkach zamkniętych w wieżach przez swoich rodziców i o rycerzach, którzy – z niezrozumiałych dla niej powodów – starają się uwolnić te księżniczki, jakby były czymś niezwykle cennym.

Mijają lata. Dziewczynka pomału dorasta i jej ciało zaczyna się w zadziwiający sposób zmieniać.

Dostrzega, że nieuchronnie staje się kobietą i bardzo ją to niepokoi. Nie chce być dorosłą, kimś podobnym do mamy czy innych kobiet, które zna, bo wydają się jej bardzo nieszczęśliwe. W dodatku mama nic nie mówi swojej dorastającej Dziewczynce o tym, że niedługo będzie miała miesiączkę. Więc gdy się to zdarza po raz pierwszy – Dziewczynka jest przerażona, upokorzona i zawstydzona. Tak się starała i znowu jest brudna.

Razem z Mamą wiedzą, że stało się coś bardzo niedobrego. Najważniejsze, żeby to jakoś ukryć i posprzątać. Żeby nikt się nawet nie domyślił. Dziewczynka przeczuwa, że przeżywa swoje narodziny jako kobiety i matki, ale to, co mogłoby być świętem, staje się czymś bardzo przykrym, upokarzającym i zawstydzającym.

Nagle w wychowywanie Dziewczynki włącza się ojciec, który przede wszystkim zaczyna dbać o to, by Dziewczynka wracała wcześnie do domu i nie chodziła nie wiadomo gdzie. Gdyby nie to, co wydarzyło się wcześniej, Mała Dziewczynka mogłaby pomyśleć, że stała się nagle kimś ważnym. Ale w istocie czuje, że stała się kimś jeszcze bardziej niż dotąd podejrzanym. Jest traktowana jak ktoś, kto nie jest w stanie panować nad swoim zachowaniem i życiem. Dowiaduje się, że cały świat – a szczególnie chłopcy i mężczyźni – jest czymś bardzo groźnym, a opieka matki i ojca jest dla niej jedynym bezpiecznym schronieniem. Jednocześnie często słyszy, że jest duża i powinna wiedzieć, czego chce.

Gdy pewnego wieczoru spóźniona wraca do domu, zderza się ze strasznym gniewem i oburzeniem rodziców. Dowiaduje się, że jest dziwką, puszczalską albo nawet kurwą, zasługującą – z góry i bez szans na obronę – na potępienie. Przerażona i upokorzona, obciążona zostaje winą i odpowiedzialnością za coś, z czego nie zdaje sobie sprawy, bo jest od tego odcięta i rzeczywiście nie potrafi tego kontrolować. Nie wie, jak to pogodzić z faktem, że koledzy i inni – nawet obcy – mężczyźni potrafią się nią zachwycić i zwracają na nią uwagę. Czasami wyczuwa, że ktoś chce się do niej zbliżyć, że czerpie przyjemność z samego bycia blisko niej. Zupełnie jej się to nie mieści w głowie. Tym bardziej, że ojciec, który do niedawna czasami się z nią bawił i przytulał, a nawet nią zachwycał, nagle zaczął odpychać ją od siebie. Dorastająca Dziewczynka nic z tego nie rozumie. Z rodzicami żyje się jej coraz trudniej. Czuje się jak królewna z jej dziecięcych lektur – zamknięta przez rodziców w baszcie. Pamięta, że wyzwoleniem może być dla niej jedynie odważny rycerz.

W dodatku Dorastającej Dziewczynce przydarza się coś zdumiewającego. Okazuje się, że jej ciało staje się przedmiotem pożądania ze strony osób ważnych i dorosłych. Wujek, dziadek, starszy brat albo dobry znajomy rodziców zaczynają z niezrozumiałych dla Dziewczynki powodów najbardziej interesować się jej kroczem, czyli tym, co w jej odczuciu jest w niej najbardziej podejrzane, brudne i nieładne. Siła tych męskich uczuć i pragnień jest dla niej przerażająca, ale jednocześnie jest w tym coś bardzo pociągającego. Dziewczynka nie wie jeszcze, że poruszone w niej zostało odwieczne niespełnione pragnienie bycia ważną, upragnioną i kochaną. Często czuje się zupełnie bezbronna wobec siły tego pragnienia. Jeśli ma szczęście i ten, który pierwszy ją docenił znajduje się poza murami ojcowskiego zamku, siła ta sprawi, że ucieknie z rodzicielskiej baszty. Ale, niestety, nie wyrwie się spod rodzicielskiej władzy. I choć nasza Dorastająca Dziewczynka przeżywa silną pokusę użycia swojej świeżo odkrytej seksualnej mocy w relacjach z męskim otoczeniem, to jednak lęk przed własnym, nieznanym ciałem i wypełnieniem się rodzicielskiej klątwy o upadku powstrzymuje ją przed podjęciem samodzielnego życia.

W takim właśnie stanie wkracza w swoją dorosłość. Odurzona niesłychanym doświadczeniem bycia ważną i upragnioną rzuca się w objęcia swojego pierwszego mężczyzny, który staje się jej legitymacją na życie. Nie wie jeszcze i być może nigdy się nie dowie, że zawsze będą jej towarzyszyć uczucia lęku, wstydu i winy, a jej ciało nie będzie do niej należeć. Natomiast mężczyzna, który ją pokocha, będzie w niej wzbudzał na wpół świadome uczucie zniecierpliwienia i pogardy, niełatwe do pogodzenia z silnie odczuwanym przywiązaniem. Kiedyś odkryje, że gardzi nim za to, że pokochał kogoś tak marnego i podejrzanego jak ona.

Niedługo potem rodzi się kolejna Mała Dziewczynka.

*

Tak więc, przychodząc na świat, nasza Dziewczynka trafia w bardzo trudną sytuację. Konieczność zmagania się z upokarzającym i ograniczającym przekazem „skoro się już urodziłaś, to przynajmniej nie żądaj niczego więcej" – sprawia, że naturalną strategią przeżycia staje się dla niej intuicyjne wychwytywanie tego, czego się od niej oczekuje i spełnianie tych oczekiwań. Rezygnacja z własnych potrzeb oraz gotowość do reagowania na potrzeby otoczenia tworzą w niej predyspozycję masochistyczną, co sprawia, że jest ona w stanie bez protestu znosić cierpienie, a ponieważ nieświadomie uważa, że zasługuje na karę, obwinia siebie również za to, że to cierpienie ją spotyka.

Skoro się już urodziłaś...

Gdy Mała Dziewczynka stanie się kobietą, będzie jej bardzo trudno pozbyć się tego dziedzictwa. Trudno jej będzie zdać sobie jasno sprawę z własnych potrzeb i uczuć, z własnych granic, z obszaru własnej autonomii w relacjach z innymi ludźmi. Niełatwo będzie właściwie reagować na przemoc i różne formy inwazji czy gwałtu ze strony otoczenia i przestać czuć się winną za wszystko, co się jej przydarza.

Spróbujmy się wczuć w sytuację dorastającej Dziewczynki. Urodziła się niechciana, jej matka była upokorzona, a ojciec

Co zrobić z ciałem?

rozczarowany. Nie wolno jej było niczego chcieć, nagradzana była za niesprawianie kłopotu, torturowana na nocniku, co dokończyło dzieła uprzedmiotowienia jej ciała i utraty kontaktu z nim. Taka Dziewczynka nagle dowiaduje się, że jej ciało jest atrakcyjne dla kogoś ważnego dla niej, że posiada tajemniczą moc przyciągania mężczyzn. Przed jakim dylematem staje wtedy taka dorastająca kobieta? W zależności od tego w jakim społecznym i obyczajowym klimacie wzrastała, może stać się świętą, czyli całkowicie zanegować swoją seksualność albo wypełnić rodzicielskie proroctwo i stać się „kurwą". Tym, co stawia ją wobec tej – dramatycznej acz pozornej, jak to dalej wykażemy – alternatywy, jest lęk, który bierze się z poczucia braku kontroli nad własnym ciałem i jego potrzebami.

Bestia   Brak kontaktu z własnym ciałem może sprawić, że nasza Dorosła Dziewczynka doświadcza go jako czegoś na kształt bestii – niezrozumiałej, nieobliczalnej, i tajemniczej. Brakuje jej możliwości przejrzystego doświadczania wrażeń i sygnałów płynących z ciała, brakuje też kategorii do nazywania tego, co się z nią dzieje, nie mówiąc już o rozumieniu. Gdy nadchodzi czas, kiedy jej ciało dojrzewa, staje się ciałem kobiety i wzbudza zainteresowanie mężczyzn, pojawia się uzasadniony lęk, że nie będzie ona w stanie zapanować nad całym obszarem potrzeb związanych z seksem. Ten lęk czasami podpowiada jej, aby szukać trzeciej drogi i stać się „syreną"– rybą od pasa w dół, sprawić, by nogi zrosły się w ogon i definitywnie odciąć się od dolnej części ciała.

Syrena   Syreny były różnie przedstawiane. Najlepiej znany nam wizerunek – z mieczem i tarczą – jest w kontekście naszych rozważań dość wymowny. Odcięcie siebie od pasa w dół stwarza konieczność skompensowania utraty seksualnej tożsamości. Nasza kobieta staje się więc kobietą walczącą, kobietą, która używa męskich atrybutów walki, wchodzi w męski rodzaj rywalizacji, podporządkowuje sobie mężczyzn. Wprawdzie na pół świadomie wabi i przyzywa, poruszana głębokim pragnieniem zrealizowania swojej kobiecości, ale w bliskim związku z mężczyzną doświadcza lęku i niemożności zaoferowania czegokolwiek.

Trzecim możliwym wyborem, wyrastającym z tego samego korzenia, jest stanie się „kurwą". Wtedy nasza Dorosła Dziewczynka wprawdzie w zasadniczo różny sposób używa swego ciała, ale nadal jest ono dla niej przedmiotem. Zorientowawszy się, że jej ciało budzi pożądanie, ale nie mając z nim kontaktu, swobodnie używa swego wyobcowanego organizmu po to, aby się jakoś w życiu urządzić.

„Cnota" samoponiżenia

W dodatku prostytuowanie i poniżanie swego brudnego, nie lubianego ciała staje się dla niej formą samokarania, robienia z ciałem tego na co ono i tak zasługuje, traktowaniem go zgodnie z tym, jak było traktowane przez opiekunów i religię. W ten sposób prostytucja staje się praktykowaniem pseudocnoty samoponiżenia.

Dylemat: święta, syrena czy ladacznica w istocie nie jest dylematem. Są to jedynie trzy sposoby radzenia sobie z tym samym deficytem, z tym samym zranieniem. Nie jest to żaden wybór, choć może sprawiać wrażenie wyboru. W istocie święta, syrena i ladacznica są – psychologicznie rzecz biorąc – w identycznej sytuacji.

Prawdziwe rozwiązanie polega na tym, aby kobieta mogła odzyskać swoje ciało, stać się podmiotem swojego życia i dzięki temu odzyskać własną tożsamość. Wówczas nie będzie potrzeby stawania się ani świętą, ani kurwą z rodzicielskiej klątwy. Pojawi się możliwość realizowania całego zanegowanego potencjału kobiecości.

Odzyskać ciało

Zdecydowana większość klientów psychoterapii to kobiety. Świadczy to o tym, że człowiek – kobieta szuka swojej tożsamości i godności. Stąd biorą się też liczne stowarzyszenia kobiece. To bardzo cenne i potrzebne. Niestety, grożą im manowce poszukiwania tożsamości przez konfrontację i walkę z wrogiem – mężczyzną. Na szczęście kobiety coraz częściej i wyraźniej widzą, że to zbyt łatwa droga, aby mogła prowadzić do celu, a prawdziwym źródłem ich cierpienia jest to, że kiedyś, dawno, dawno temu przerwany został łańcuch przekazu pozytywnego wzorca kobiecości. Dlatego tak rzadko matka jest w stanie nauczyć córkę bycia kobietą i przekazać jej poczucie godności, radości i autonomii, przyrodzone tej formie istnienia na równi z formą istnienia, zwaną mężczyzną. Dlatego tak rzadko córka może usłyszeć od matki, że jest dla niej ważniejsza od „niego", a przynajmniej tak samo ważna, kimkolwiek byłby ten „on" – bratem, ojcem, mężem, kochankiem czy nawet patriarchalnym Bogiem. Tak rzadko doświadcza matczynej lojalności i solidarności.

Przyjaźń kobiet

Ważną sprawą dla kobiet jest poszukiwanie kobiecych przyjaźni. W psychologicznej literaturze kobiecej coraz częściej podnosi się wagę tego doświadczenia i ostrzega się młode kobiety, które wychodzą z domu, spod opieki matki i ojca, przed natychmiastowym wychodzeniem za mąż (a wiele z nich tak niestety robi). Kobiety potrzebują takiego okresu w swoim dojrzałym życiu, w którym mogą pobyć wśród innych kobiet po to, aby pomagać sobie nawzajem w poszukiwaniu archetypu kobiecości. Wtedy dopiero pojawia się szansa na to, że mężczyzna w ich życiu nie stanie się ani znienawidzonym wybawicielem, ani upragnionym wrogiem.

*

[*Od Wydawcy: niestety, nie zachowało się nagranie sesji pytań i odpowiedzi, która miała miejsce po tym wykładzie.*]

Dziewica
Co jest prawdziwą cnotą?

Zacznijmy od tezy, że pojęcie dziewictwa zostało w naszej patriarchalnej kulturze wypaczone i ukształtowane w taki sposób, aby podtrzymywać podrzędność i emocjonalne uzależnienie kobiety w relacji do mężczyzny.

Zostało ono zredukowane do wymiaru anatomiczno-fizjologicznego i utożsamione z pojęciem „czystości", przeciwstawianym seksualności, uważanej, siłą rzeczy, za coś niewłaściwego i brudnego. Taki sposób pojmowania dziewictwa zakłada nieobecność duchowego pierwiastka w seksualności w ogóle, a w seksualności kobiety w szczególności.

Dziewictwo uważa się nadal za cenne wiano niesione przez kobietę w darze mężczyźnie, którego zdecydowała się poślubić. Obdarowując mężczyznę dziewictwem, kobieta na ogół czyni go kimś, w czyje łaski należy się wkupić i zarazem odwdzięczyć za to, że w ogóle zechciał się z nią ożenić.

Dar dziewictwa?

Obyczaj ten wyrasta z milczącego przeświadczenia, że kobieta jest kimś gorszym i podejrzanym – że zawiniła. Czyż nie dlatego wymaga się od niej dowodu na to, że potrafi kontrolować swoją seksualność? Jest to więc coś w rodzaju pokuty, a zarazem próby dojrzałości. Mężczyzna, nie wiedzieć czemu, uznaje, że w pełni zasługuje na taki hołd i staje się samozwańczym arbitrem w sprawie kobiecej czystości i dojrzałości. Jeszcze dzisiaj w wielu krajach jedynie potwierdzenie dziewictwa przez męża daje kobiecie prawo bycia żoną i pełnoprawną członkinią danej społeczności. Ale jakoś nikt nie pyta o kwalifikacje arbitra.

Brak symetrii   Mężczyźni z jakichś powodów zwolnieni są z obowiązku przedłożenia jakiegokolwiek dowodu potwierdzającego zdolność do kontrolowania własnej seksualności. Nie wymaga się od nich, aby żona była ich pierwszą kobietą. Wręcz przeciwnie, oczekuje się, żeby „wyszumieli się przed ślubem". Wiele kobiet przeżywa ten – tak niesymetryczny – egzamin dojrzałości jako głębokie upokorzenie, tym bardziej że na mocy prawa pierwszych połączeń jednostronne dziewictwo prowadzi często do emocjonalnego uzależnienia kobiety od jej pierwszego partnera.

Czyżby wyniosły sędzia czystości i dojrzałości kobiety był w gruncie rzeczy zalęknionym uzurpatorem, pragnącym bezprawnie sprawować rządy nad jej duszą i ciałem?

Co właściwie jest cnotą w tak rozumianym dziewictwie? Sytuacja wywyższania mężczyzny jest niezdrowa dla obu stron. Cóż dobrego może wyniknąć z tego, że mężczyzna uwierzy w swą szczególną i wyjątkową pozycję w relacji z kobietą, która ma być potem jego partnerką? Uzależnienie emocjonalne kobiety od mężczyzny też trudno nazwać cnotą. Człowiek rodzi się po to, aby stawać się wolnym i odkrywać przyrodzone poczucie pełni i niezależności, a nie uzależniać się emocjonalnie od innych i, będąc dorosłym, w innych szukać potwierdzenia swojej tożsamości.

Jak się zdaje, jedynym aspektem tradycyjnie rozumianego dziewictwa, które może aspirować do miana cnoty, jest umiejętność kontrolowania własnej seksualności, co uzyskuje swoje potwierdzenie poprzez dochowanie dziewictwa do małżeństwa. Kobieta, która potrafi utrzymywać swą seksualność w ryzach i zawierać w sobie swoje potrzeby i impulsy, niewątpliwie zasługuje na szacunek. Ale w kontekście tego wszystkiego, o czym mówiliśmy w trakcie poprzednich spotkań, i tu można mieć wątpliwości. Cnota pojawia się tam, gdzie istnieje możli-
Cnota czy   wość wyboru. Nie można kogoś, kto jest – skoro już jesteśmy
konieczność?   przy seksie – impotentem, uważać za cnotliwego i wychwalać jego wstrzemięźliwości, ponieważ to nie wymaga od niego żadnego wysiłku. Czynilibyśmy wówczas cnotę z konieczności

czy z niemożności. Za obdarzonego cnotą wstrzemięźliwości możemy natomiast uznać kogoś, kto będąc świadomym siły i bogactwa własnej popędowości, dzięki wysiłkom woli i pracy nad sobą potrafi kierować swoim życiem tak, aby niekontrolowaną seksualnością nie powodować zamętu w sobie i wokół siebie. Skoro jednak udziałem większości kobiet jest odcięcie się od seksualności, to zachowanie dziewictwa do momentu małżeństwa rzadko bywa cnotą. Dziewictwo zostaje zachowane najczęściej nie mocą świadomego i odpowiedzialnego postępowania ze sobą, ale na skutek zewnętrznej presji i kontroli, w atmosferze lęku przed upokorzeniem i ostracyzmem.

Lęk czy wybór?

Spróbujmy teraz przyjrzeć się temu, jak to było z dziewictwem w czasach, które poprzedzają najlepiej nam znane, patriarchalne dziedzictwo kulturowe.

W czasach przedpatriarchalnych bóstwo, które stało u szczytu hierarchii, było jednoznacznie kojarzone z kobiecym aspektem istnienia. To kobiece bóstwo symbolizowane było przez Księżyc. Bogini Księżyca była boginią płodności, nadrzędnym bóstwem odpowiedzialnym za seks i prokreację, za powstawanie nowego i zarazem – o dziwo – unicestwianie starego życia. Wszystko to nie przeszkadzało jej w noszeniu zaszczytnego przydomka Dziewicy lub Dziewicy-Matki, bo bogini ta nie potrzebowała męskiego partnera, który miałby ją uzupełniać czy użyczać jej swojej tożsamości. Była to nadrzędna istota – Bóg-Matka. Do najsłynniejszych należy Isztar – babilońska Bogini Księżyca, postać niepodzielnie panująca w boskiej hierarchii.

Bóg-Matka

W starożytnych, przedchrześcijańskich mitach oprócz bóstw kobiecych – Matek-Dziewic – pojawia się również postać Syna. I tam, podobnie jak w micie chrześcijańskim, Dziewica wydaje na świat Syna. Syn dojrzewa, staje się kimś bardzo ważnym, potem umiera i powraca do życia. Był to jednak syn Boga-Matki, a nie Boga-Ojca. Choć sprawa nie jest wcale taka prosta. Okazuje się bowiem, że zarówno starobabilońskiej Sinn, jak i późniejszej Isztar, a także egipskiej Izis i greckiej Artemidzie przypisywano zarówno cechy Matki, jak i Ojca. Były to więc bóstwa płciowo niezróżnicowane, obojnacze, choć przedstawiane na ogół w postaci kobiecej. Jak widać, matriarchat nie był tak dogmatyczny w sprawie boskiej płci jak patriarchat.

Korzystam tutaj z bogatej wiedzy pani Esther Harding, psychologa, psychoterapeutki i jungistki, która napisała 35 lat temu bardzo ciekawą i mądrą książkę *Woman's Mysteries* (*Tajemnice kobiet*). Według Esther Harding, dziewictwo było w czasach przedchrześcijańskich czymś zupełnie innym niż dzisiaj. Dosłowne znaczenie pojęcia „dziewica" w języku greckim[1] to „ta, która nie potrzebuje męża". Nie ta, która nie chce męża, nie ta, której żaden mężczyzna nie chciał, nie ta, która nie mogła czy nie potrafiła znaleźć męża, tylko ta, która go *nie potrzebuje!* Czyli, innymi słowy, kobieta niezależna, posiadająca własną tożsamość. Kobieta, dla której mężczyzna – mąż czy syn – nie musi być legitymacją jej istnienia i najważniejszą treścią życia.

Ta, która nie potrzebuje męża

W dodatku dziewica z tamtych czasów nie była i nie mogła być dziewicą w sensie anatomiczno-fizjologicznym. Termin „dziewictwo" opisywał duchowy i psychologiczny wymiar kobiety. Dziewicą mogła być w tym rozumieniu zarówno kobieta samotna, jak i wielodzietna matka, kobieta kilka razy zamężna, rozwódka czy wdowa albo ladacznica. Tak pojmowana „dziewica" nie odrzuca mężczyzny i nie uważa go za wroga ani za coś gorszego. Jest osobą niezależną, która przekroczyła swoje egocentryczne uwarunkowania, jest *sama w sobie* i dzięki temu potrafi kochać i pozwala kochać innym.

Rytuał świętego małżeństwa

Pogański rytuał religijny, zwanym „świętym małżeństwem" (po grecku *hieros gamos*) w sposób istotny wiąże się ze sprawą dziewictwa w jego głębokim rozumieniu. Istniał on w kulturach przedchrześcijańskich, przetrwał w starożytnej Grecji, a wywodzi się prawdopodobnie z Babilonu. Zgodnie z tym

---

[1] Greckie słowo *parthenos*, tłumaczone potocznie jako „dziewica", oznacza w istocie „niezamężną kobietę".

rytuałem każda kobieta, która chciała ubiegać się o przydomek „dziewicy", przynajmniej raz w życiu winna była udać się do świątyni Isztar albo Afrodyty (Afrodyta była greckim odpowiednikiem Isztar) i w tejże świątyni oddać się nieznanemu mężczyźnie.

W pierwszym odruchu wzdragamy się na myśl o czymś takim. Podobnie historycy, którzy opisują ten obyczaj, nie potrafili na ogół powstrzymać się od moralizatorstwa. Spróbujmy jednak zdobyć się na to, aby zawiesić pochopny osąd i spróbować zrozumieć – podążając zresztą za Esther Harding – możliwe psychologiczne i duchowe konsekwencje tego niezwykłego ceremoniału.

Już na pierwszy rzut oka podejrzewamy, że dzieje się tutaj rzecz niezwykła, przeciwieństwo tego, co jest nam znane i w czym żyjemy. Intencją ceremoniału *hieros gamos* wydaje się bowiem być uznanie i wyniesienie seksualności kobiety na ołtarze. Zwróćmy uwagę na to, że akt ten nie czynił kobiety zależną, bowiem mężczyzna był kimś nieznanym i nie wolno było w żaden sposób kontynuować zawartej w świątyni znajomości. Mało tego, kochanie się z nieznajomym często było ze strony kobiety aktem leczącego i kojącego współczucia, gdy był to mężczyzna stary lub chory, który szukał w kontakcie z kobiecym bóstwem – z życiodajną Matką – okazji do odnowienia sił życiowych. Mężczyzna, który w taki sposób kontaktował się z boskim wymiarem kobiety, był zobowiązany przekazać niebagatelną sumę na rzecz świątyni. W ten sposób anonimowy akt seksualny stawał się ofiarą dla bogini płodności, źródła wszelkiego życia, z którą kobieta jednoczyła się, ofiarowując swoją bezinteresowną miłość, współczucie i – miejmy nadzieję – radość nieznanemu mężczyźnie. Dodajmy, że dzieci narodzone w wyniku takiego spotkania nazywane były po grecku *parthenioi*, czyli „narodzone z dziewicy" i cieszyły się wielkim poważaniem.

Narodzeni z dziewicy

Niełatwo jest zrozumieć taką sytuację, ale przeczuwamy, że była w tym jakaś mądrość, że działo się tam coś bardzo istotnego. Szczególnie, gdy odniesiemy to do naszych współczesnych doświadczeń i ocen dotyczących seksualności. Pamiętajmy, że ten swoisty sakrament dotyczył również mężczyzn. Dla wielu młodych mężczyzn był okazją do inicjacji seksualnej. Nie po kryjomu, z byle kim i byle gdzie, w atmosferze występku, w ukryciu i zawstydzeniu – tak jak to często jest naszym udziałem – ale w świątyni.

Seks w świątyni

A więc nie tylko kobiety odkrywały święty, prawdziwy wymiar swojej seksualności, ale i mężczyźni mogli odkryć święty wymiar kobiety, doświadczając, być może, od czasu do czasu własnej świętości. Istotnym mankamentem tego rytuału było to, że – jak donoszą źródła – mężczyźni mogli wybierać sobie kobiety, z którymi dochodziło do zbliżenia. Łatwo można sobie wyobrazić, w jak upokarzającej sytuacji znajdowały się te niewybierane. W trosce o symetrię dobór partnerów powinien się odbywać na zasadzie losowania.

Niemniej możemy przypuszczać, że doświadczenie, w którym kobieta i mężczyzna spotykali się na ołtarzu świątyni, a ich seksualność znajdowała pełny wyraz w atmosferze uświęcenia, kształtowało nieznany nam gatunek kobiet i mężczyzn. Pewnie nie bez powodu te właśnie kobiety, które zawarły „święte małżeństwo" miały prawo zwać się „dziewicami".

Dziewica – ladacznica

Przydomek „dziewica" świetnie koegzystował w tych czasach z przydomkiem „ladacznica" czy „prostytutka". Isztar ponoć mówiła o sobie często, że jest prostytutką. Afrodyta, bogini seksualności, prokreacji, zmysłowości, miała przydomek „dziewica". Z kolei wielka chińska Bogini Księżycowa, która miała dominującą pozycję w hierarchii bogów, była jednocześnie patronką prostytutek! Jak to się wtedy przedziwnie splatało! Przecież prostytutka nie utożsamia się z życiodajnym bóstwem i nie łączy się ze swoim klientem w transcendentnym doświadczeniu boskiej jedności. Prostytutka ciężką pracą, której – zgodnie z etycznym kodeksem prostytutek – nie powinna lubić, zarabia na życie. Czyżby w prostytucji też było coś świętego?

Przypomina mi się historia zapisana w kronikach zen. Pewna młodziutka gejsza, upokorzona i obolała, zapukała do bram buddyjskiego klasztoru. Została przyjęta i spędziła wiele długich lat w reżimie praktyki zen. Gdy osiągnęła swoje głębokie przebudzenie, jej nauczyciel, opat klasztoru, zapytał: „co teraz będziesz robić"? Miał, być może, nadzieję, że zostanie w klasztorze i będzie mu pomagać w nauczaniu innych. Ale ona odpowiedziała: „wracam tam, skąd przyszłam". I wróciła do domu gejsz, gdzie wielu zagubionym mężczyznom pomogła odnaleźć Drogę.

Na wystawie tantrycznej rzeźby buddyjskiej, którą oglądałem parę lat temu w Kolonii, byłem poruszony do głębi pięknymi rzeźbami, przedstawiającymi dwoistego Buddę, czyli postać Buddy-mężczyzny, siedzącego w pozycji lotosu i kobiety--Buddy, siedzącej na jego udach i obejmującej go nogami, połączonej z nim w akcie seksualnym. Cała forma tchnęła siłą, miłością i spokojem. Pomyślałem sobie wtedy: jaka szkoda, że w naszej kulturze postawienie tej pięknej figury na ołtarzu byłoby czymś niewłaściwym. Nasze stereotypy relacji między płciami i czarne dziedzictwo lęku i poczucia winy związane z seksualnością nigdy by na to nie pozwoliły.

Tymczasem praktykującym w tradycji buddyzmu tybetańskiego, na pewnym etapie treningu, zaleca się medytację nad figurą dwoistego Buddy. Czytałem relację jednej z adeptek, która w poruszający sposób opisała, jak wiele wysiłku kosztowało ją zasymilowanie tej formy. Ile stereotypowych poglądów, ile emocjonalnych uwarunkowań musiała przekroczyć. Zadanie polegało na tym, żeby w głębokiej medytacji identyfikować się zarówno z męskim jak i z żeńskim aspektem Dwoistego Buddy i zmierzać do zrozumienia istoty tego spotkania. Jak pisze autorka, stało się to dla niej okazją do rozwiązania problemu swojej tożsamości i zrozumienia tajemnicy spotkania kobiety i mężczyzny. Pozazdrościć.

Kluczem do zrozumienia związku pomiędzy seksualnością a świętością może być stwierdzenie, które często pojawia się w hinduskiej literaturze tantrycznej, między innnymi w książce, która ukazała się w Polsce: *Tantra – sztuka świadomego kochania*. Można tam znaleźć ostrzeżenie, że kobieta nie

Miłość „na ołtarzu"

Seks i duchowość

będzie w stanie osiągnąć duchowego urzeczywistnienia i uzyskać pełnego poczucia tożsamości, póki jej seksualność nie zostanie w pełni i godnie przez nią przeżyta, a także uszanowana przez jej otoczenie. W psychoterapii okazuje się często, że kobiety cierpiące z powodu braku poczucia tożsamości i życia nie swoim życiem mają zablokowany oddech przeponowy, brzuch i miednicę, a tym samym dostęp do uczucia satysfakcji i radości z bycia kobietą.

Brzuch Stereotypy seksualne naszej kultury dobrze ilustruje powszechne przekonanie, że to normalne i właściwe, iż kobiety nie oddychają „do brzucha". Uważa się, że tylko mężczyźni naturalnie oddychają w ten sposób, czyli – ściśle mówiąc – przeponą, kobiety natura skazała zaś na oddychanie szczytami płuc. Zdaje się, że do dziś uczy się tego lekarzy. To prawda, że często trzeba kobiety uczyć oddychania przeponą. Mamy tu jednak do czynienia nie z wrodzoną cechą, ale z kulturowym artefaktem, który ma swoje źródło w sposobie wychowania kobiet, gdzie seksualność, siła i stanowczość są konsekwentnie represjonowane. Podstawowym stereotypem dziewczynki jest grzeczna dziewczynka. Bycie „grzeczną" wymusza odcięcie się od wszystkich potrzeb, doznań i możliwości związanych z obszarem brzucha, bioder, miednicy i nóg. Zablokowanie przepony jest cielesnym wyrazem psychologicznego odcięcia się od „niegrzecznej dziewczynki", która mieszka gdzieś tam w dole i nader często zostaje tam na zawsze pogrzebana.

*

głos z sali: Mówi się, że matka jest pewna, a ojciec zapewne może mieć wątpliwości, czy dziecko jest jego. Mężczyzna nabiera pewności, że to on będzie ojcem dziecka, jeśli kobieta, którą poślubia, jest dziewicą. Wydaje mi się, że kult dziewictwa jest z tym ściśle związany.

W.E.: To ten sam upokarzający stereotyp kobiety, który działa na zasadzie samosprawdzającej się przepowiedni. Z góry zakłada się, że kobieta jest osobą nieodpowiedzialną, która może ulec albo kaprysom własnej popędowości, albo chwilowym fascynacjom czy stać się ofiarą uwiedzenia lub gwałtu. Mówiliśmy już o tym, że ten sposób widzenia kobiety przez mężczyzn ma w ogromnej mierze charakter projekcji. Innymi słowy, mężczyźni widzą w kobietach swoją własną słabość i nieobliczalność seksualną, którym zaprzeczają. Niestety, dziewczynki – w zgodzie z tym krzywdzącym wyobrażeniem – są wychowywane na osoby zalęknione i zawstydzone sobą, odcięte od swojej seksualności i w ten sposób przepowiednia się potwierdza.

Samo-
sprawdzająca
się prze-
powiednia

Z pewnością instytucja „dziewictwa" w wydaniu patriarchalnym służy temu, żeby nie zasymilowaną, a więc często nieobliczalną seksualność kobiet lepiej społecznie kontrolować. Ale czyż nie byłoby mądrzej tworzyć w kulturze i wychowaniu tradycję wspierającą akceptację i asymilację seksualności przez kobietę? Nie chciałbym, żeby kobiety obecne na tej sali doszły do wniosku, że należy natychmiast udać się do świątyni Isztar i oddać się pierwszemu lepszemu mężczyźnie. Poza tym gdzie jej szukać? Jak to zrobić, żeby stać się w głębokim i mądrym rozumieniu tego słowa dziewicą? Jak stać się kobietą, która nie potrzebuje ani ulegać mężczyźnie, ani panować nad nim po to, aby mieć poczucie, że jest kimś i że jej istnienie ma sens, kobietą, która jest „sama w sobie"?

W tym miejscu warto przytoczyć nader ważne ostrzeżenie sformułowane przez Esther Harding:[2]

W imię
Bogini

Ale jeśli motywacja, która ma obalić konwencjonalne zasady, jest tylko egocentryczna, to kuracja będzie z pewnością gorsza od choroby. Wówczas krok, którego intencją jest uwolnienie się z więzów społeczności, okaże się regresją, odwiedzie nas od ucywilizowanej dyscypliny i zawiedzie na manowce barbarzyństwa. Jeśli jednak motywacja jest nieegocentryczna, nastawiona na perspektywę ponadosobową, na osiągnięcie właściwego stosunku do

---

[2] Esther Harding: *Woman's mysteries*, New York 1971, s. 126, tłum. autora.

*„bogini", do zasady Erosa – to rezultat będzie wolny od ego-
tyzmu i miłości własnej.*
Wiele się zmienia. Może już niedługo bycie samotną kobietą nie będzie piętnem i świadectwem niepowodzenia życio-
wego ani jakąś podejrzaną sytuacją? Może już niedługo kobieta, która wybiera trudną drogę poszukiwania samej siebie
i nie po drodze jest jej wiązanie się z mężczyzną, będzie ota-
czana szacunkiem?
głos z sali: Kiedy mówiłeś o kobiecie, która nie potrzebuje
mężczyzny, poczułem się taki mały, zagrożony.
W. E.: Kim ja jestem, skoro kobieta mnie nie potrzebuje?
To pokazuje, jak z kolei nasze męskie poczucie tożsamości
może opierać się na obecności w naszym życiu kobiety, najlepiej takiej, która nie może bez nas żyć.
głos męski : Kobiety w zasadzie nie są takie, jakimi się nam
wydają. One po prostu starają się zaspokoić nasze oczekiwa-
nie duchowości w nich. Bardzo sobie cenię kobiety i ich rolę,
ale zastanawiam się: jak to jest z tą duchowością, gdzie ona
naprawdę leży? W aspekcie męskim czy w aspekcie kobiecym?
Na mnie zawsze będzie ciążył fakt, że w momencie dorasta-
nia, zwiedzając galerię malarstwa w Sukiennicach, natknąłem
się na obraz Podkowińskiego *Szał uniesień* i tak jak tę kobietę
wtedy zobaczyłem, tak ją nadal widzę. Czy mógłbyś jakoś to
skomentować?
W. E.: A co zobaczyłeś?
ten sam głos: Zobaczyłem taką kobietę, jaką ją Podkowiński
namalował. Gdzieś uniesioną... koń w przestworzach, a ona
taka bardzo zmysłowa i bardzo seksualna.
"Podłączenie"   *W. E.:* Niedawno widziałem reprodukcję tego obrazu.
Z zawodowego nawyku pomyślałem: „nie podłączona". Ten
techniczny termin oznacza, że ktoś przeżywa silne uczucia, ale
nie jest ich do końca świadomy, nie bierze za nie odpowiedzialności. Doświadczenie nie jest przeżywane z „otwartymi
oczyma" i uznawane za własne, nie jest asymilowane.
Na obrazie widzimy piękną, nagą kobietę, unoszoną
w przestworza przez wspaniałego rumaka, który jest – być

może – alegorią jej popędowej, seksualnej natury. Kobieta wydaje się być nieprzytomna, nie jedzie na tym koniu – on ją porwał i poniósł. Kobiety są tak wychowywane, że często jest im trudno pomieścić w sobie silne energie związane z agresywnością i seksualnością, więc rzucają się w nie „na ślepo". Później oświadczają na przykład: „To nie byłam ja. Coś się ze mną stało." Albo co gorsza: „Coś ty ze mną zrobił?"

głos z sali: Czy to dobrze?

W.E.: Lepiej jechać na koniu, niż dawać się koniowi ponosić. To zresztą wcale nie znaczy, że konia należy zawsze kontrolować, tylko że ma się taką możliwość. Gdy pomaga się ludziom w pracy nad asymilacją ich popędowości, metafora jazdy na koniu jest przydatna.

Kiedyś, gdy sam zwariowałem na punkcie koni, odkryłem dwa sposoby jeżdżenia, które dobrze się odnoszą do sposobów, w jakie próbujemy kontrolować naszą popędowość. Pierwszy sposób jest restrykcyjny, kontrolujący, na zasadzie „ja ci pokażę, kto silniejszy". Walczymy wtedy ze zwierzęciem i czasami wydaje się nam, że podporządkowaliśmy je sobie. Ale jest w tym coś rozpaczliwego. Obie strony potwornie się męczą i bardzo się nie lubią. W głębi duszy jeździec zawsze będzie się bał konia, ponieważ nigdy go nie pokochał, a więc i nie poznał. Przeżywa wspominany już wielokrotnie lęk uzurpatora, który zawładnął czymś, co do niego nie należy i czego nie rozumie. Drugi sposób polega na uczeniu się panowania nad koniem poprzez nawiązywanie z nim kontaktu. Wczuwamy się w niego, zaprzyjaźniamy się z nim, „uwewnętrzniamy" konia.

Na początku, gdy byłem słabym jeźdźcem, odwoływałem się oczywiście do tego pierwszego sposobu. I to było straszne. Można wygrać z koniem. Ale to żadna przyjemność jechać na upokorzonym, zniewolonym zwierzęciu, które jest twoim wrogiem i któremu ani na chwilę nie możesz zaufać. Później pewien mądry koniarz pokazał mi, że gdy pokocham i poznam to zwierzę, bez lęku będę mógł pozwolić mu na wszystko. Wtedy jeździec ma zaufanie do konia, koń ma zaufanie do jeźdźca i wszystko przebiega w harmonii. Jeździec i koń są

Opanować zwierzę

jednym organizmem. Czyż tak nie jest lepiej? Naprawdę nie zasługujemy na to, aby spędzać życie za życiem w lęku przed sobą. A trzymanie konia w stajni i niedosiadanie go, to przecież grzech marnotrawstwa i marnowanie talentu.

Wracając do obrazu Podkowińskiego: można go także odczytać jako wyraz zaufania i oddania Erosowi.

głos kobiecy: Spotkałam się z twierdzeniem, że kobieta przeżywa swoją seksualność bardziej psychicznie i duchowo, a mężczyzna bardziej biologicznie i fizycznie. Czy to tak jest?

W. E.: W kulturach wolnych od stereotypu kobiety grzesznej i podejrzanej uważało się, że jej seksualność – gdy została już uwolniona z więzów egocentrycznych pożądań i manipulacji – jest tożsama z jej duchowością. Schemat rozkładu energii w ciele kobiety ma formę trójkąta, którego wierzchołek jest na górze, a podstawa na dole. Kobieta jest tak zbudowana, że ma więcej energii w dole ciała. Mężczyzna odwrotnie. Męski schemat rozkładu energii w ciele ma postać trójkąta ułożonego wierzchołkiem do dołu – mniej energii w dole ciała, więcej w górze. Kobieta ma więcej energii w brzuchu i jej naturalnym, dominującym ośrodkiem przeżywania siebie jest brzuch. Tam się dzieją sprawy podstawowe dla bycia kobietą i przeżywania kobiecości, także w wymiarze duchowym.

Nadzieja i ratunek dla duchowości mężczyzny leży bardziej w otwarciu serca. Statystyczny mężczyzna nie jest w stanie przeżywać seksu jako doświadczenia duchowego. To wymaga pracy nad sobą. Jeśli mężczyźni nie podejmą tego trudu, trudno im będzie zrozumieć i zaakceptować autentyczną duchowość kobiety i prędzej czy później będziemy mieli kolejne polowanie na czarownice.

ten sam głos kobiecy: Boję się być oszukaną. Coś, co ja przeżywam bardzo mocno, w głębi siebie i duchowo, dla mężczyzny jest po prostu przyjemnością, czymś na zupełnie innym poziomie.

W. E.: Myślę, że nie ma powodu czuć się oszukaną. Masz prawo ufać swojemu doświadczeniu i w tej sprawie nikt cię nie może oszukać. Jest tak właśnie, jak to przeżywasz. Mężczyźnie można tylko współczuć, jeśli jego przeżywanie seksu jest tak cząstkowe i ograniczone. Możesz go tym wspaniałym stanem twojego serca i brzucha obdarować. Wtedy łatwiej mu będzie znaleźć drogę do swojego serca i swojej duchowości. Kobiety mają z reguły otwarte serce i zablokowany brzuch. Mężczyźni – na ogół otwarty brzuch i zablokowane serce. Mężczyźni mają trudniejszą drogę. Trudniej jest otworzyć serce niż brzuch, a seks nie podłączony do serca jest doświadczeniem fizjologicznym, pozbawionym uczuć i głębi. Z kolei serce nie podłączone do brzucha to egzaltacja, dobre chęci i cierpiętnictwo seksualne.

Brzuch i serce

głos z sali: Dlaczego ludzie się zdradzają?

W. E.: Przypuszczam, że w wielu spotkaniach pozamałżeńskich, w zdeformowanej i przypadkowej formie realizuje się potrzeba, która w dawnych czasach była tak trafnie zinstytucjonalizowana w postaci rytuału „świętego małżeństwa". Niestety, świątynie Afrodyty w naszych skarlałych czasach spadły do rangi domów publicznych, a kult Boga-Matki, Dziewicy-Prostytutki, bogini miłości i płodności pozornie realizuje się w powszechnym kulcie kobiecych piersi i krocza, zwanym pornografią. Zdrada, domy publiczne, pornografia, to z punktu widzenia standardów psychoterapii przejawy coraz bardziej powszechnej niedojrzałości emocjonalnej. Według Freuda jej istotą jest niezdolność do zasymilowania popędowości i seksualności, co sprawia, że stajemy się przeciwnikami samych siebie. Musimy więc nauczyć się mieścić je w sobie, przeżywać w pełni i zintegrować z całym naszym ludzkim doświadczeniem. Czyli podjąć pracę nad sobą opartą na założeniu, że prawdziwa natura człowieka jest dobra, że niczego jej nie brakuje i niczego nie ma w nadmiarze. To z fałszywego przekonania, że w naszym wnętrzu tkwi coś, przed czym musimy się bronić i pozbywać się tego, bierze się całe zło. Tworzymy iluzję zła, z którym następnie podejmujemy szlachetną walkę. Po drodze, niestety, już naprawdę czynimy wiele złego. Wtedy nasza iluzja się materializuje, a nasza paranoja potwierdza.

Zdrada

głos z sali: A co z wiernością?

Wierność   *W. E.:* Wierność jako wymóg zewnętrzny, jako obyczaj, może łatwo wyrodzić się w manipulację, mającą na celu zniewolenie jednego człowieka przez drugiego. Ale jeśli wierność jest opisem wewnętrznej decyzji czy wręcz wglądu w istotę tego, co nas łączy z drugim człowiekiem, to zupełnie inna historia.

Świadomy wybór wierności jest aktem człowieka wolnego i w niczym nas nie ogranicza. Wręcz przeciwnie: tak jak każdy wybór może nam dawać cudowne poczucie wolności od tego wszystkiego, co nie zostało wybrane. Często też uwalnia nas od złudnej nadziei, że z kimś innym będzie łatwiej i lepiej. Ale wtedy to się już nie nazywa wiernością. To się raczej nazywa mądrością. Ta sama mądrość może nam też czasami kazać odejść i szukać dalej. Szczególnie wtedy, gdy stajemy przed trudnym wyborem: czy być wiernym zasadom i obyczajom, czy sobie lub: czy w imię wierności pogrążać się wraz z partnerem w odmętach wzajemnej pogardy i nienawiści, czy uciąć to i szukać okazji do zrobienia jeszcze czegoś dobrego w tym życiu.

Lęk   *głos kobiecy:* Często słyszę, że kobieta musi się „podciągać"
mężczyzn   w sprawach duchowości, dążyć do tego, żeby spełnić oczekiwania mężczyzny. Wydaje mi się, że to się wiąże z tym, w jaki sposób mężczyzna ocenia kobietę, która rzeczywiście nie boi się swojej seksualności i jest w tym wolna. Wtedy jest oceniana negatywnie, zostaje odarta z duchowości i uznana za seksualne zwierzę. To mężczyźni często odbierają jej swobodę poprzez negowanie możliwości duchowego przeżywania seksu.

W. E.: Bardzo ważne spostrzeżenie. W jakimś dobrym czeskim filmie była taka sytuacja. Narzeczeni – znudzeni i rozczarowani sobą po niezbyt udanym weekendzie – zatrzymują się w przydrożnym motelu. W hotelowej restauracji roi się od ostentacyjnie zachowujących się prostytutek i ich klientów. Chłopak proponuje swojej, bardzo zawstydzonej i wpatrzonej w niego cielęcymi oczyma, dziewczynie zabawę – będziemy udawać, że ty jesteś jedną z nich, a ja twoim klientem. W ten sposób chłopak daje wyraz swoim niespójnym potrzebom związanym z jego kobietą. Z jednej strony chce posiadać uzależnioną, grzeczną dziewczynkę, a z drugiej tęskni za spotkaniem z wyzwoloną i bezwstydną ladacznicą. Niestety, w jego umyśle nie istnieje kategoria Świętej Ladacznicy. Świętość jest bowiem dla niego, podobnie jak dla większości ludzi w naszej kulturze, aseksualna. Dlatego młody mężczyzna nie jest w stanie poczuć uznania i szacunku dla kobiecej seksualności. Stać go tylko na fascynację wymieszaną z lękiem. I oto cała tragedia. Gdy dziewczyna, korzystając z przebrania prostytutki, podejmuje w końcu wyzwanie i przełamując swoje opory pokazuje, na co ją stać, chłopak ukrywa swój lęk pod maską świętego oburzenia i zostawia ją samą w burdelowym pokoiku. To bardzo smutny film.

Święta Ladacznica

Ogromną mądrością „świętego małżeństwa" było to, że ukazywało świętość ludzkiego ciała, świętość spotkania mężczyzny i kobiety, a nade wszystko świętość seksualności jako takiej. Zwróćcie uwagę, że seksualność nie musiała w owych czasach pokornie zabiegać o rehabilitację ze względu na swoje prokreacyjne konsekwencje. Nie musiała się z niczego tłumaczyć.

Przeczuwam, że jeśli nam się nie uda naszej cielesności, zmysłowości i seksualności wydobyć z obarczonej grzechem, winą i nieczystością przestrzeni naszych serc i umysłów, to nie będziemy w stanie poradzić sobie ze swoją duchowością. Nasza duchowość pozostanie co najwyżej egzaltowaną deklaracją. Egzaltacja i fundamentalizm są ceną, którą płacimy za oderwanie duchowości od źródła naszej życiowej energii, a więc także od cielesności i seksualności. Jeśli tego nie pojmiemy i nie przetworzymy w mądrą, głęboką edukację i kulturę seksualną, to nie zdołamy uwolnić się od demonów aborcji, pornografii, dewiacji i przemocy seksualnej.

Matka
Odpowiedzialność za życie

Zajmiemy się dzisiaj archetypem i stereotypem matki – tym jak funkcjonują one w naszej kulturze, na ile były i są przedmiotem manipulacji, służącej podtrzymaniu status quo w relacjach męskości i kobiecości. Będziemy rozważać problem matki na kilku płaszczyznach, które wzajemnie się przenikają. Przypomnijmy, że w wewnętrznym wymiarze brak równowagi między elementem żeńskim i męskim dotyczy każdego z nas. W wypadku kobiet dominujący element męski często przybiera postać autoagresji i negacji własnej kobiecości. Ten brak równowagi powstaje nie dlatego, że w życiu kobiety istniał nadmiar elementu męskiego, czyli ojca, ale dlatego, że zabrakło silnej, akceptującej i szczęśliwej matki.

Na początku pomówmy trochę o matce jako o formie przejawiania się boskości i świętości.

Bogini-Matka

W czasach przedpatriarchalnych bóstwo stojące na szczycie hierarchii – podstawowa siła sprawcza, będąca źródłem wszelkiego życia – było utożsamiane z elementem żeńskim, przedstawiane w postaci kobiety i nazywane matką. Była ona, co bardzo ważne, także matką Bogów osobowych, a więc praźródłem wszystkiego co posiada jakąkolwiek formę i nazwę. Taka pozycja matki miała swoje oczywiste konsekwencje psychologiczne i społeczne. Kobieta, jako istota bliższa naczelnemu bóstwu, cieszyła się silniejszą pozycją społeczną i silniejszą pozycją w relacjach z mężczyznami. Można przypuszczać, że była też silniejsza i bardziej spójna wewnętrznie.

**Dziewo-
rództwo**

Dominująca pozycja kobiecego bóstwa i kobiety została zakwestionowana ponoć wtedy dopiero, gdy odkryto udział mężczyzny w zapłodnieniu. W czasach matriarchatu sądzono, że matka sama w sobie dysponuje wystarczającą mocą, aby stworzyć nowe życie. Dzieworództwo było czymś oczywistym i naturalnym, bo kobiety – jak sądzono – zachodziły w ciążę pod wpływem światła księżyca, utożsamianego z emanacją boskiego aspektu kobiecości. Dlatego tak często na egipskich i babilońskich rycinach i reliefach można zobaczyć symbol księżyca.

W tych tak zwanych pogańskich czasach kobiety żyły w przekonaniu, że bezpośrednio i samodzielnie, na podobieństwo Boskiej Matki, tworzą nowe życie. Jakiż to musiał być splendor i radość dla kobiety! Seks w tej sytuacji stawał się wyłącznie niewinną zabawą i przyjemnością. Żadnego pokalania, żadnej odpowiedzialności. Wszystko w ręku Bogini-Matki i księżycowego światła.

Podobieństwo babilońskiego przekazu o dzieworództwie do chrześcijańskiego mitu o niepokalanym poczęciu jest uderzające. Ale zwróćmy też uwagę na zasadniczą różnicę. Chrześcijańskie dzieworództwo nie może się jednak obejść bez męskiego elementu w osobie Boga-Ojca. Nie sposób nie zauważyć, że tak wielkie wyniesienie kobiety i niedostrzeganie męskiej części odpowiedzialności za tworzenie nowego życia w czasach przedchrześcijańskich mogło sprzyjać infantylizowaniu mężczyzn. Do dziś mężczyznom trudno jest wziąć odpowiedzialność za zapłodnienie, co dobitnie wyraża się w powszechnej tendencji pozostawiania kobietom troski o zapobieganie ciąży.

Nasilający się ostatnio religijny nacisk na stosowanie naturalnych metod zapobiegania ciąży i uznanie prezerwatyw za grzeszne na nowo zrzuca całą odpowiedzialność na kobietę. Okazuje się, że nawet w czasach patriarchalnych mężczyźni potrafią zachować te elementy kultury matriarchatu, które są dla nich wygodne.

Ale wróćmy do Bogini-Matki. Jakie było to kobiece bóstwo? Bogini-Matka posiadała oczywiście atrybuty matki. Była to więc bogini miłująca, utożsamiana z intymnością i spokojem nocy, wszechobecna we wszystkim co się jawi, szczególnie dostrzegana w naturalnym, przyrodniczym otoczeniu człowieka. Bogini-Matka nie stawiała żadnych wymagań, akceptowała każdą formę życia i każdy jego przejaw. Nie ustanawiała wzorców ani nie formułowała postulatów moralnych, wychodząc widocznie z założenia, że wszystko co stworzyła było równie doskonałe jak ona. Zarówno kobiety, jak i mężczyźni czuli się z nią bardzo bezpiecznie. Nie stwarzała dystansu, nie wywyższała się. Dzieliła z człowiekiem i przyrodą tę samą przestrzeń. Była więc wyraźnym przeciwieństwem znanego nam Boga-Ojca, który w pierwszym rzędzie oferuje dystans, surowość i ostre światło.

W kontekście naszych rozważań warta podkreślenia jest jedna właściwość Bogini-Matki odróżniająca ją od Boga-Ojca. Otóż Bogini-Matka nie jest tą, która jedynie tworzy i daje życie, lecz jest jednocześnie odpowiedzialna za śmierć i umieranie, czyli za tworzenie miejsca na nowe życie. Wydaje się, że współczesne, powszechne pojmowanie i przeżywanie Boga--Ojca uwalnia go od odpowiedzialności za śmierć. Wprawdzie w rytuałach i tekstach pogrzebowych odpowiedzialność ta jest podnoszona, ale ludzie i tak nie chcą przypisywać Bogu tego, co przeżywają jako okrutne, bolesne i niezrozumiałe. Stąd w naszym powszechnym stereotypie i ikonografii śmierć ma postać kobiety. Złej, groźnej i bezlitosnej kostuchy.

Zauważmy, że to właśnie kobiecie raz jeszcze przypisujemy tak chętnie rzekome okrucieństwo i bezwzględność, tym razem kojarzone ze śmiercią. Może to pozostałość przedpatriarchalnej wizji Bogini-Matki? Wydaje się jednak, że w większym stopniu decyduje tutaj potrzeba idealizowania postaci Boga-Ojca.

Z jakichś powodów, wbrew wszelkiej oczywistości, wygodnie nam wierzyć, że źródłem życia jest element męski, a źródłem śmierci element kobiecy. To tak jakby Ojciec rodził,

Dawanie
życia
i dawanie
śmierci

Kto daje,
kto odbiera?

a Matka zabijała. W wypadku Bogini-Matki dawanie i odbieranie życia było rozumiane jako dwa uzupełniające się i niezbędne przejawy matczynej miłości i troski o życie. Pojmowanie „Matki" zawierało w sobie jednoczesność dawania i odbierania życia albo, mówiąc mądrzej, „dawania życia" i „dawania śmierci". Ówczesnym ludziom jakby łatwiej było dostrzec to, że życie i śmierć pochodzą z jednego źródła. Matka była rozumiana na podobieństwo rzeki, która po to, aby hojnie rozdawać swoje dobrodziejstwa, musi płynąć, a po to, żeby płynąć, musi mieć nie tylko źródło, ale i ujście.

Niełatwo jest nam wejść w skórę kogoś, kto żył w tamtych czasach i doświadczał takiego rozumienia miłości Bogini-Matki. Gdy patrzymy na to z naszej współczesnej perspektywy, nieuchronnie widzimy Boginię-Matkę jako postać dwoistą, posiadającą dwa różne oblicza: oblicze miłości i oblicze okrucieństwa. Może ludziom żyjącym w tamtych czasach dane było doświadczać jedności i tożsamości narodzin i śmierci jako dwóch sposobów przejawiania się Jednego Życia, jednej rzeki. W przeciwnym razie zapewne nie byliby w stanie stworzyć takiej koncepcji i wyobrażenia naczelnego Bóstwa.

Idealizowanie matki

Oddzielenie życia od umierania nastąpiło przypuszczalnie w momencie, w którym dominującą rolę w tworzeniu religijnego przekazu uzyskali mężczyźni, z natury rzeczy oddzieleni od tajemniczego, wyłącznie kobiecego doświadczenia dawania życia i dawania śmierci. Wtedy też zapewne zaczął się tworzyć naiwny, wyidealizowany stereotyp matki, zainteresowanej wyłącznie podtrzymywaniem każdego indywidualnego życia.

Takie rozumienie matki wynika z lęku przed śmiercią i ukazuje naszą niezgodę na przyjęcie umierania jako matczynego daru tożsamego i jednoczesnego z darem życia.

Jeśli jednak odwołamy się do naszych własnych doświadczeń z matkami, a w wypadku kobiet także do doświadczeń bycia matką, przypomnimy sobie, że w obcowaniu z matką doświadczamy zarówno ogromnej siły podtrzymującej życie, jak też tej drugiej – groźnej i niszczącej. Szczególnie dramatycznie siła ta wyraża się w instynktownym zachowaniu matek zwierzęcych, które czasami zabijają lub zaniedbują część swojego potomstwa.

Ta niszcząca siła jest niewątpliwie przyrodzonym atrybutem kobiecości, który – podobnie jak zdolność do podtrzymywania życia – kobieta dzieli z całą przyrodą. W imię wyidealizowanego stereotypu kobiecości, destrukcyjny aspekt kobiety-matki jest jednak powszechnie negowany i represjonowany. W rezultacie – pozostając niezrozumianym i ukrytym – wyradzać się może w groźne formy kobiecej destrukcji i autodestrukcji.

Lęk przed skumulowaną w podświadomości kobiety destrukcyjną siłą odegrał z pewnością swoją rolę także w zbiorowej psychozie polowań na czarownice. Czarownice oskarżano nie tylko o spółkowanie z diabłem, ale również o celowe czynienie zła. Czynienie zła polegało oczywiście na powodowaniu śmierci przez rzucanie tak zwanych uroków. Jeśli komuś padła krowa, nagle umarło dziecko lub ktoś bliski, nie udały mu się zbiory, łatwiej było przypisać to czarownicy i jej mocodawcy – Szatanowi – niż woli współczującego Boga-Ojca. W czasach polowań na czarownice prześladowano więc kobiety nie tylko za ich życiodajny urok seksualny, ale także za ich urok – nazwijmy go – „śmierciodajny". Może polowanie na czarownice było męską, karkołomną próbą rozprawienia się z Boginią-Matką za jej inicjatywę i samowolę w dawaniu życia i dawaniu śmierci?

W wielu niechrześcijańskich religiach niszczący aspekt Bogini-Matki (a więc i kobiety) jest rozumiany i doceniany. Najbardziej znanym współczesnym przykładem jest hinduistyczna Kali. Kali, będąc równorzędną postacią wobec Boga Sziwy, łączy w sobie zarówno aspekt dający życie, jak i ten obdarzający śmiercią. Przedstawiana bywa w formie wielorękiego potwora dzierżącego miecze i włócznie, obwieszonego krwawiącymi częściami ludzkich ciał i przyozdobionego naszyjnikiem z czaszek. W odróżnieniu od naszej kostuchy posiada młode kobiece ciało, kształtne piersi i jest zdecydowanie żywa,

Kobieta niszcząca

Matka – władca

wręcz tryskająca energią. Gdy się jednak patrzy na jej wizerunek, trudno pojąć, jak kogoś tak przerażającego Hindusi mogą nazywać Matką?

Nasza Matka jest wyłącznie opiekuńcza, ciepła, dobra i bezradna. Podlega męskim bogom, sama stworzona przez Boga-Ojca, pozbawiona więc swojej Bogini-Matki i wszelkiej mocy sprawczej, może się jedynie wstawiać za nami u wszechmogących mężczyzn. Nawet w sprawie dawania życia zależy od tego, czy mężczyzna zechce ją łaskawie – pokalanie lub niepokalanie – zapłodnić. Światło księżyca już na nią nie świeci.

Matka – petent

My chcemy takiej matki. Upokorzonej i podporządkowanej. Słodkiej i dobrej, która przeprasza, że żyje.

Należałoby oczekiwać, że w tych częściach świata, gdzie przetrwał wizerunek Bogini-Matki, która daje życie i daje śmierć, sytuacja kobiet jest zupełnie inna. Nic z tego – sytuacja kobiet w Indiach jest straszna. Okazuje się, że w czasach patriarchalnych cześć dla Bogini nie przenosi się jakoś na kobiety. Śmiem przypuszczać, że wynika to także z obawy przed ukrytą siłą kobiety, którą reprezentuje Kali.

Najważniejszą konsekwencją patriarchalnego okrojenia archetypu matki w naszych obyczajach i kulturze jest to, że kobieta-matka została pozbawiona odpowiedzialności za życie. Odpowiada za nie męski Bóg-Ojciec – Stwórca.

Odpowiedzialność za życie

Można to zobaczyć śledząc dyskusję wokół ustaw antyaborcyjnych. Podział ról w dramacie jest w istocie następujący: mężczyźni czynią się odpowiedzialnymi za życie i widzą swoją misję w powstrzymywaniu nieobliczalnych, zbrodniczych zapędów kobiet wobec życia, czują się powołani do tego, aby powstrzymać złowrogą i niezrozumiałą kobiecą potrzebę zabijania własnych dzieci. W rezultacie odpowiedzialność kobiet za życie sprowadza się do rodzenia ile się da, bez szemrania i oglądania się na okoliczności. A później wspaniali mężczyźni – obrońcy życia – urządzą jakąś wojnę i wszyscy się pozabijają.

Zauważmy, że przy okazji dyskusji o aborcji kobiety stały się raz jeszcze istotami podejrzewanymi o najgorsze.

Najwyraźniej przejawia się to w tych zapędach ustawodawczych, które zmierzają do wymuszania macierzyństwa bez względu na okoliczności. Ileż męskiej pychy, agresji i okrucieństwa kryje się za próbami stanowienia prawa zmuszającego kobietę do rodzenia dzieci, także tych poczętych w wyniku przemocy czy kazirodztwa.

Przecież to dla człowieka skrajne upokorzenie – nie móc decydować o własnym ciele i o własnych losach. Jaki mężczyzna zniósłby sytuację, w której odebrano by mu prawo do własnego ciała i pod groźbą kary zmuszano by go, na przykład, do dzielenia się swoimi organami wewnętrznymi dla ratowania życia innym?

Prawo do ciała

Ogrom upokorzeń, jakich kobiety doświadczają w swoim życiu, sprawia, że – po to, aby pozostać przy zdrowych zmysłach – muszą one odciąć się od swojego ciała, a tym samym od możliwości rzeczywistego doświadczania swojej duchowości. W ten sposób ciało kobiety, zamiast stać się naczyniem Boga, przestaje być czyjąkolwiek własnością. Należy do wszystkich i do nikogo.

Zgodnie z duchem tak stanowionego prawa ciało kobiety jest własnością tego, który ją zapładnia i prawodawcy. W sprawie zapłodnienia kobieta często nie ma nic do powiedzenia. Słabsza fizycznie i psychicznie ulega przemocy, namowie lub szantażowi. Następnie, pozbawiona prawa wyboru, przechodzi z rąk oprawcy w ręce ustawodawcy i staje się czymś w rodzaju upaństwowionego agregatu do rodzenia.

W dodatku wszystko to razem obłudnie sprzedawane jest kobietom w opakowaniu cudownego pakietu moralnej naprawy, ekspiacji i zbawienia. Po raz kolejny kobieta staje się kozłem ofiarnym i zostaje wydelegowana przez mężczyzn do tego, żeby zmieniała się na lepsze jako ta bardziej ciemna, popędowa i niekontrolowalna część ludzkości. Mężczyzna natomiast, czując się świetnie, ustawia się na piedestale prawodawcy i tego, który w imię Boga radośnie i beztrosko zapładnia nieświadome niczego boskie naczynia.

Poprawić kobietę

Straszny to widok: poprzebierani w szaty obrońców życia i wyższych wartości mężczyźni błądzą spokojnie w ciemnościach pychy i ignorancji, zaś upokorzona kobieta, która nienawidzi własnego ciała, jest być może zdolna do biologicznej prokreacji, ale często niezdolna do macierzyństwa w prawdziwym znaczeniu tego słowa. Nierzadko skrycie nienawidzi swoich dzieci i w świadomym lub nieświadomym akcie zemsty czyni je psychicznymi kalekami. Wbrew temu, w co chcą wierzyć mężczyźni, kobieta nie jest wyłącznie istotą instynktowną. Sam instynkt macierzyński, jeśli się obudzi, wystarczyć może na zaledwie kilka miesięcy życia dziecka. Potem proces wychowania zaczyna zależeć wyłącznie od stopnia dojrzałości świadomości i psychiki matki.

Odwołując się do przygód *Alicji w Krainie Czarów* czas się zastanowić, czy po to, aby dobiec do pięknego zamku, jakim jest zaprzestanie pozbawiania życia nienarodzonych, nie trzeba przypadkiem biec w przeciwną stronę. Czy w pierwszym rzędzie nie powinniśmy uczynić wszystkiego co możliwe, by przywrócić kobiecie godność i podmiotowość oraz oddać należny **Szacunek** jej szacunek. Tylko kobieta, która jest pewna swojej tożsamości i czuje się właścicielką swojego ciała, kobieta prawdziwie wolna w podejmowaniu decyzji dotyczących jej losów może naprawdę czuć i ponosić odpowiedzialność za życie.

Jako psychoterapeuta spotkałem się z co najmniej kilkunastoma sytuacjami, w których nie miałem jasnej odpowiedzi na pytanie, czy ciążę należy utrzymać, czy nie. Wiele razy dotknąłem sytuacji, w której troska o życie wyrażać się musiała w podjęciu dramatycznej decyzji: kogo pozbawić życia.

Co ma zrobić matka nieletniej córki, zgwałconej przez swego stryjka? Co ma zrobić ojciec tej córki? Dla obojga życie jest naczelną wartością, ale stają wobec pytania: które życie ratować? Życie płodu, który rozwija się w macicy córki, czy życie córki, jej psychiczne, a może i fizyczne przetrwanie? Kto w ogóle ma decydować w tej sprawie: przyszła niepełnoletnia matka czy jej rodzice? A może państwo? Na ogół kończy się na tym, że wszyscy zgodnie ratują reputację stryjka.

A co należałoby uczynić, gdyby ojcem dziecka był własny ojciec niepełnoletniej matki? Tak też się zdarza. Co wówczas miałaby zrobić matka tej córki? Jak można rozwiązać taką sytuację, nie zabijając czegoś lub kogoś? Coś musi zostać zabite.

Kogo zabić?

Albo inna sytuacja: matka trojga dzieci (która bogobojnie stosuje naturalne metody antykoncepcji) zachodzi wskutek małżeńskiego gwałtu w czwartą, niepożądaną ciążę, która ewidentnie grozi jej życiu. Ma dzieci w wieku dwóch, trzech i pięciu lat. Mąż jest alkoholikiem i osobą nieodpowiedzialną. Co ma zrobić ta matka? Czy ryzykować własnym życiem po to, żeby powołać na świat jeszcze jedno dziecko, a przy okazji osierocić całą czwórkę, narażając na cierpienia i psychiczne wykolejenie? Czy zdecydować się na usunięcie czwartej ciąży? Czy ktoś ma jasną odpowiedź w tej sprawie?...

Przede wszystkim potrzeba tu pokory i zrozumienia, a nie pięknoduchowskiej pychy i restrykcyjnego prawodawstwa.

Cnota jest tam, gdzie jest wybór. Jeśli macierzyństwo ma być cnotą, nie może być w żaden sposób wymuszane. Każda matka powinna mieć możliwość wyboru i decyzji. Z drugiej zaś strony trzeba czynić wszystko co możliwe, aby matki nie musiały wybierać śmierci swoich dzieci.

Ponieważ umówiliśmy się, że nie będziemy unikać żadnych pytań, zadajmy sobie i to. Czy zawsze jest tak, że gdy matka wybiera śmierć własnego dziecka, wybiera większe zło?

Z punktu widzenia Bogini-Matki odpowiedzialność za życie musi wykraczać poza odpowiedzialność za życie indywidualne czy za życie jakiegoś gatunku, choćby ludzkiego. Bogini-Matka jest bytem absolutnym, który przejawia się poprzez wszystkie indywidualne matki: na równi ludzkie, zwierzęce, jak i matki-rośliny. Tak rozumiana Matka troszczy się o życie jako całość, we wszystkich jego przejawach. Nie oddziela jednego życia od drugiego i żadnej jego formy nie wyróżnia. Dba o równowagę w całym obszarze życia. Takie rozumienie matki wymaga rezygnacji z antropocentrycznego egotyzmu i, właściwego szczególnie mężczyznom, przekonania o ich uprzywilejowanej pozycji wobec całej reszty istnienia.

Odpowiedzialność Bogini-Matki

Niewątpliwie człowiek jest istotą szczególną. Ale, niestety, naszą szczególność pojmujemy w sposób, który zamiast czynić nas odpowiedzialnymi za życie, zwalnia nas od wszelkiej odpowiedzialności. Pozwala nam się panoszyć, wywyższać i niszczyć. Pozwala czuć się kimś specjalnym, kimś, kto podporządkowuje sobie wszelkie inne formy życia, z kobietą i matką **Ojciec** włącznie. Antropocentryzm jest przede wszystkim kontynuacją **trzyma** adamowego złudzenia bycia jedynym i pierworodnym synem **z Adamem** Boga, żyjącego w samowystarczalnej enklawie, pod szczególną, ojcowską opieką.

Jeśli jednak chcemy, aby ustała wewnętrzna i zewnętrzna wojna płci, jeśli chcemy stworzyć szansę na harmonię i spokój, to powinniśmy kobiecie-matce przywrócić należną jej rangę. Pojmować ją jako immanentny i równoprawny przejaw boskości i otaczać szacunkiem.

Wtedy dopiero ujrzymy Matkę jako fenomen ponadindywidualny i ponadgatunkowy, a sprawa odpowiedzialności za życie stanie we właściwym świetle. Mężczyzna będzie mógł z pokorą i szacunkiem przyjmować trudne, matczyne decyzje **Gniazdo** i zająć się tym, do czego jest powołany. A powołany jest – mówiąc metaforycznie – do budowania bezpiecznego gniazda.

Jeśli mężczyźni nauczą się kontrolować swoją seksualność, naprawdę wezmą odpowiedzialność za swój udział w powoływaniu dzieci na świat, zaprzestaną używania i gwałcenia kobiet, jeśli zagwarantują matkom i dzieciom czystą ziemię i bezpieczną przyszłość, jeśli otoczą je szacunkiem i miłością – to w sprawie ochrony życia zrobią wszystko co do nich należy i nie powinni robić już nic więcej.

*

Ochraniaj *głos z sali:* W jaki sposób to, co mówiłeś o aborcji, ma się **wszelkie życie** do buddyjskiego wskazania „nie zabijaj, lecz ochraniaj wszelkie życie"?

W.E.: Myślę, że samo sformułowanie tego wskazania wiele wyjaśnia. Trzeba zwrócić uwagę na słowo „wszelkie" i że sformułowanie „wszelkie życie" określa ten rodzaj odpowiedzialności za życie, który wykracza poza perspektywę indywidualną i gatunkową. Ochraniać wszelkie życie, to wziąć odpowiedzialność za życie w ogóle. Ale jak to zrobić, żeby nie zabijać i zarazem ochraniać wszelkie życie? To nie jest łatwe pytanie. Buddyzm ma to do siebie, że wskazania nie zwalniają od wyborów, od myślenia i od używania własnej intuicji do tego, by odnajdywać właściwe rozwiązanie w każdej szczególnej sytuacji. Nauczyciel buddyjski mógłby zapytać ucznia: „Co byś zrobił, gdybyś był kapitanem szalupy ratunkowej, która może utonąć, bo wsiadło na nią zbyt wiele osób?" Żadne wskazanie, żadna norma etyczna czy moralna nie zwalnia nas od przytomności i od dokonywania wyborów.

A jak realizować wskazanie „nie zabijaj, lecz ochraniaj wszelkie życie", gdy powołują cię do wojska, dają karabin do ręki i każą strzelać, bo jest wojna? Jak to zrobić? Co wtedy zrobić? Ktoś zapytał o to jednego z nauczycieli buddyjskich i otrzymał bardzo interesującą i niełatwą odpowiedź: „daj się zabić, zanim kogoś zabijesz". Jak to się ma do ochraniania wszelkiego życia?

głos z sali: Odniosę się do tego, co mówiłeś o matce zbiorowej, o antropocentryzmie, o postawie dominacji, przyznawania sobie prawa do niszczenia i odwołam się do pojęcia „Matka-Ziemia". Wydaje mi się, że mężczyźni prezentują dokładnie tę samą postawę wobec kobiet i wobec Matki-Ziemi. Z taką arogancją przyznajemy sobie nie tylko prawo, żeby tę matkę okiełznać i wypruwać z jej wnętrza wszystkie potrzebne jej organy, ale też uzurpujemy sobie odpowiedzialność za proces entropii, proces niszczenia, który następuje w procesie samoregulacji. Jest taka koncepcja, wedle której ziemia jest organizmem żywym, samoregulującym się i proces niszczenia – katastrofy, zagłada milionów ludzi – jest naturalnym mechanizmem samoregulacji. Jesteśmy nieświadomymi wykonawcami naturalnego procesu obrony życia. Nie wiem, czy się zgadzasz z takim poglądem.

Matka-
-Ziemia

W.E.: W konsekwencji takiego poglądu możemy rzeczywiście czuć się zwolnieni od odpowiedzialności za niszczenie Matki-Ziemi. „Skoro Matka na to pozwala, a nawet nami powoduje, to widocznie wie, co robi." To wygodne. Niszcząc ziemię można poczuć się jednocześnie jej nieodrodnym dzieckiem, a z niszczenia uczynić cnotę.

Ponadindywidualny i ponadgatunkowy fenomen Matki to coś, co dotyczy wszystkiego – zarówno ludzi, jak i ziemi, zwierząt i roślin. Jest to wspólna odpowiedzialność, która realizuje się z chwili na chwilę i którą z chwili na chwilę trzeba podejmować. Ludzie – jako jedyne z istot żyjących na tej ziemi obdarzone samoświadomością, sumieniem i wolną wolą – ponoszą za to, co się dzieje na ziemi i z ziemią, szczególną odpowiedzialność. Zgodnie z zasadą: im więcej wolności, tym więcej odpowiedzialności.

Pamiętajmy jednak, że wszelkie koncepcje na ten temat mogą nas zaprowadzić na manowce. Dopiero uświadomienie sobie faktu, że jesteśmy jednym z życiem, czyni nas w pełni odpowiedzialnymi za wszelkie życie. Odpowiedzialnymi w szczególny sposób, bo będąc życiem samym w sobie, nie chcemy i nie możemy stawiać się na zewnątrz tego życia jako ktoś szczególny i odpowiedzialny. Po prostu odpowiadamy za siebie.

Jedność   *głos z sali:* Przyszłam na to spotkanie z pytaniem o relację między matką i dzieckiem. Zrozumiałam, że matka i ja to jedno. Dostałam odpowiedź.

W.E.: Chciałbym jeszcze coś dodać. Gdy mówimy o Matce, nie mówimy wyłącznie o kobietach. Jeśli posiedzimy długo w spokoju i ciszy, oczyszczając nasze umysły z wszelkich koncepcji i rozróżnień, odkryjemy, że pytania: „czy jestem kobietą, czy mężczyzną? czy jestem matką, czy ojcem?" tracą sens i znaczenie. Wielu mężczyzn ma dostęp do „matki" w sobie i używa „wewnętrznej matki" choćby w relacjach z własnymi dziećmi, czy w ogóle w relacjach ze światem. Podział na matkę i ojca w rodzinach niekoniecznie przebiega według demarkacyjnej linii płci. Czasami to mężczyzna pełni rolę matki, natomiast kobieta – bardziej rolę ojca. Kobieta bywa źródłem wymagań, dyscypliny, różnych – potocznie przypisywanych ojcu – oddziaływań, natomiast ojciec jest kimś, kto daje bezwarunkową akceptację.

Obserwując swoją drogę widzę, że sam coraz bardziej staję się „matką" w moim stosunku do ludzi, czy w ogóle do świata. Mam poczucie, że coś się tu wyraźnie dopełnia. Potwierdza mi się to w śmieszny sposób, gdy podczas pracy – w różnych scenach, czy psychodramach – ktoś czasami chce, żebym zagrał rolę matki. Kiedyś byłoby to dla mnie czymś podejrzanym i prawie obraźliwym, a teraz odbieram taką propozycję jako rodzaj komplementu. Nie rezygnuję przy tym z mojego aspektu męskiego. Jedno i drugie jest ważne.

Mężczyzna – matka

głos z sali: Czy moglibyśmy zacząć podobny cykl spotkań na temat mężczyzn?

W.E.: Być może. Póki co, zauważcie, że mówiąc o kobietach, mówiliśmy też o mężczyznach, o tym w mężczyznach, czego im brakuje, co nie jest uświadomione i za co my, mężczyźni nie bierzemy odpowiedzialności. Ale na pewno warto to powiedzieć wyraźniej, bardziej z męskiej perspektywy. Kiedyś to zrobię.

głos z sali: Zauważyłem, że trzy czwarte literatury, którą się nafaszerowałem, dotyczy kobiet. Pomaga im się rozwijać, pozbywać obciążeń, negatywnych stereotypów. A dla mężczyzn są propozycje takie jak brydż, samochód, sukces. Czuję ograniczenie. Kobieta-humanistka ma się gdzie przedrzeć i o co oprzeć, mężczyzna-humanista to mężczyzna samotny.

Co z mężczyznami?

W.E.: To prawda, że my, mężczyźni, też jesteśmy bezradni w poszukiwaniu etosu męskości. W tej sprawie trzeba zacząć coś robić.